WILDE PAARDEN IN GEVAAR

Federica de Cesco bij Facet:

Melina en de dolfijnen

Vrij onder de zon

Het lied van de dolfijn

Het Maanpaard

De witte merrie

Mila's toverlied

Witte kraanvogel boven Tibet

Een viool voor Shana

Ruiters in de nacht

Paarden, wind en zon

Wilde paarden in gevaar

Federica de Cesco

Wilde paarden in gevaar

facet

Antwerpen

2002

CIP GEGEVENS KONINKLIJKE BIBLIOTHEEK – DEN HAAG
C.I.P. KONINKLIJKE BIBLIOTHEEK ALBERT I

Cesco, Federica de

Wilde paarden in gevaar / Federica de Cesco [vertaald uit het
Duits door Piet Hein Geurink]. – Antwerpen: Facet, 2002
Oorspronkelijke titel: Wildpferde in Gefahr
ISBN 90 5016 346 7
Doelgroep: Paarden, USA, avontuur
NUR 283

Wettelijk depot D/2002/4587/19
Omslagontwerp: Michel Gruyters

Eerste druk maart 2002

Zaterdagochtend

Zoals elke dag werd Karen ook vandaag iets voor zeven uur wakker. Ze zuchtte, drukte haar hoofd in haar kussen en trok het laken over haar hoofd. Deze laatste twee vrije dagen wilde ze eigenlijk nog eens lekker uitslapen. Vanaf aanstaande maandag moest ze al rond vijf uur op. Al om zes uur moest ze overmorgen met Angela kranten gaan bezorgen. En dat mocht geen kwartiertje later worden. Die dikke Butch van de boekhandel was uiterst punctueel en was voor iedereen even streng, ook voor zichzelf.

Gisteravond hadden haar ouders nog het 'geweldige' idee gehad om na de bioscoop de Johnsons uit te nodigen voor een drankje. Pas rond een uur of half elf waren ze aan komen zetten, flesjes bier en broodjes onder de arm geklemd. Karens vader had de benzinepomp wat vroeger afgesloten dan normaal en het hele gezelschap had het zich gemakkelijk gemaakt in de zitkamer. Tot vier uur 's ochtends hadden ze daar op hun luie achterste gezeten en harde rockmuziek gedraaid.

Karen draaide zich geïrriteerd op haar zij. De zon schoot zijn felle zonnestralen als pijlen door de kieren tussen de lamellen, tekende zigzaglijnen op het plafond van haar kamer en kietelde haar neus. Voor het huis hoorde ze al auto's stoppen, tanken en weer wegrijden. Een hond blafte. De radio gaf het lokale weerbericht: zoals gebruikelijk in het hele zuidwesten van Texas veertig graden in de schaduw. Het schoot Karen opeens te binnen dat ze vandaag naar Larry zouden gaan. Larry's ouders hadden een grote villa met smaragdgroene gazons en, belangrijk, een zwembad. En ze hadden geld. Pa was burgemeester van Silver City, een stadje met 24.000 inwoners ten noorden van de Río Pecos. Larry's ouders waren zeer geliefd. Larry mocht in huis halen wie hij wilde. Je kon er lekker zwemmen, pingpongen en barbecuen. En zijn moeder liet altijd cola of cassis brengen. 's Avonds zong Geronimo Colorado liedjes die hij zelf op de gitaar begeleidde. Heerlijk romantisch. Larry's moeder verbood vrijwel niks, ook als ze ruzie maakten, zei ze niks. Ze eiste maar één ding en dat was dat er geen afval op het gazon bleef liggen of in het zwembad gegooid werd. Bill Sutterman had een keer een colablikje in het water gegooid – de volgende dag dreef het er nog rond. Larry's moeder had Bill met zachte hand gedwongen in het water te springen om het blikje te pakken en in de vuilnisbak te gooien. Voor de ogen van alle anderen! Voor Bill was het een pijnlijke ervaring geweest, maar iedereen was het erover eens dat je niet zomaar overal rotzooi kon laten slingeren. Niemand vond het leuk om op een vuilnishoop te wonen. De hele wereld was al zo'n troep door het afval van kerncentrales en fabrieken, uitlaatgassen en autokerkhoven, weggegooide koelkasten en noem maar op. Zelfs in Silver City was het al zover. De fabriek voor cornedbeef en bouillonblokjes verspreidde in de middaghitte een onverdraaglijke stank, hoewel de lucht in deze streek door de nabijheid van de woestijn eigenlijk zuiver en schoon zou moeten zijn.

Karen sloeg het beddenlaken terug en stond op. Het was nog te vroeg voor Larry, maar Angela was vast al op de been. In haar pyjama liep ze naar de badkamer, douchte en poetste haar tanden. Het water stroomde klotsend en piepend door de buizen. En de douchekop was weer eens verkalkt. En de wastafel lag vol met lange blonde haren van Barbie. Smerig. Met opgetrokken neus pakte ze een stukje wc-papier, veegde de haren van haar zus bij elkaar, gooide ze in de wc-pot en trok door.

Voor de vlekkerige spiegel borstelde ze haar weerbarstige haren. Karen liet haar bruinblonde haar los in haar nek hangen. Ze kamde het eenmaal per dag, 's morgens, en dat vond ze genoeg voor de rest van de dag. Ze maakte zich niet op. Daar had ze geen geduld voor en in feite had ze ook het geld niet om te kopen wat je ervoor nodig had.

Karen liep terug naar haar slaapkamer. Natuurlijk

had Barbie haar bed weer niet opgemaakt. Karen liet alles zoals het was en trok alleen met zorg laken en sprei recht. Haar spijkerbroek en rode T-shirt lagen gewoon ergens op de grond. Ze bukte, raapte haar kleren op, kleedde zich aan, deed een riem om en stak haar voeten in makkelijke teenslippers. Ze vloog de trap af naar beneden, stapte de woonkamer binnen en deinsde verbouwereerd terug. Op de eettafel lagen plastic zakken, papiertjes en lege bierflessen. De asbakken puilden uit. Het stonk er naar sigaretten, pils en ketchup.

In de keuken deed haar moeder, gekleed in een nylonnachthemd en een gebloemde ochtendjas, de afwas. Ze droeg pantoffels en ze had rubberhandschoenen aan. In haar haar zaten krulspelden en in haar mondhoek bungelde een sigaret. 'Wat doe je hier zo vroeg?' mopperde ze. 'Ik dacht dat je wilde uitslapen.'

'Ik kon geen oog dichtdoen,' kreunde Karen. 'Jullie maakten zo'n afschuwelijk lawaai.'

'Wie, wij?' reageerde haar moeder geïrriteerd. 'Je kan het je ouders toch niet kwalijk nemen dat ze op vrijdagavond vrienden uitnodigen? Onder het kaarten worden nu eenmaal grapjes gemaakt en dan is het heel normaal dat er gelachen wordt. Heb jij ook klachten, oma?'

Oma, tweeënzeventig jaar jong, zat aan een klein hoekje van de eettafel al bonen te doppen. Haar gezicht sprak boekdelen. Oma en Karen begrepen elkaar volkomen. Soms zei Karen tegen Angela dat oma de enige volwassene van boven de vijfentwintig was die ze kon verdragen. 'Ik hoop dat ze honderd jaar wordt, anders weet ik niet wat er van mij zal geworden.'

Oma was lang en mager en haar gezicht had de kleur van gelooid leer. Ze had flinke handen en knokige ellebogen. Ze had haar witte haar in het midden in een scheiding gekamd en in het knotje in haar nek had ze grote spelden gestoken. Ze had zich haar hele leven buiten op de velden afgesloofd, maar haar rug was nog recht en ze liep nog met lichte tred. Met haar zwart-witte rok, blouse met witte puntjes en hoofddoek leek ze van ver op een zorgeloze tiener.

'Er zit koffie in de thermoskan,' zei ze. Karen glimlachte dankbaar. Oma dacht altijd aan alles. Ze trok de koelkast open, pakte een pak melk, schudde cornflakes in een kommetje en roerde er suiker door. Ze ging tegenover oma aan tafel zitten. Oma draaide de deksel van de thermoskan los en schonk een beker koffie in.

Ma maakte kabaal met het bestek in de afwasbak. 'Je doet op vrije dagen niks anders dan de hele dag op straat rondhangen,' riep ze naar binnen.

'Als ik thuisblijf, werk ik op je zenuwen en neem ik te veel plaats in,' antwoordde Karen met volle mond. 'Dat heb je zelf gezegd.'

'Altijd dat nietsdoen. In mijn tijd hielden blanken zich bij blanken en bleven zwarten bij zwarten.'

'Tegenwoordig gaan jongeren met jongeren om,' fluisterde oma zachtjes. 'Nog een beetje koffie, Karen?'

'Dank u zeer.' Karen stak haar mok naar voren. Ze

was altijd beleefd tegen oma, sprak correct en vloekte nooit in haar nabijheid. Zoveel respect had ze voor haar grootmoeder.

In de gootsteen liep het water borrelend weg. 'Heb je je bed al opgemaakt?' vroeg haar moeder, terwijl ze haar rubberhandschoenen afstroopte.

'Dat doe ik altijd,' zei Karen. 'Barbie laat de boel altijd gewoon liggen.'

'Barbie werkt,' antwoordde haar moeder en dat was weer zo'n steek onder water die Karen erop moest wijzen dat zij niet werkte.

Karen stond op, spoelde het kommetje en haar mok schoon en zette het pak melk terug in de koelkast. Ze knikte naar oma en ging er als een wervelwind vandoor.

'Waar ga je heen?' riep haar moeder haar schreeuwend achterna.

De deur knalde dicht. Het was bijna negen uur, maar de ochtendzon brandde al heet op het asfalt. Twee auto's, een Buick en een Chevrolet, en een vrachtwagen stonden bij de benzinepomp. Haar vader was al aan het werk. Hij droeg een blauwe overall met het opschrift 'Texasoil' en een honkbalpet. De man in de Buick – vest, stropdas, baardje – betaalde, gaf een fooi en verdween. De vrachtwagenchauffeur zocht het toilet. In de Chevrolet zat een vrouw met een hondje. De hond, een nog kleine, afschuwelijke dobermann, sprong tegen de ramen op en liet zijn tanden zien toen haar vader de voorruit waste. Hij keek Karen met nietszeggende ogen aan, stak de fooi in zijn zak en gaf een teken dat de Chevrolet weer kon vertrekken. Hij pakte een flesje bier van de vensterbank, nam een slok en bromde: 'Hé, alweer vrij? En hoe wil je de tijd eigenlijk doden? Ik hoop dat je je hier af en toe eens laat zien om een handje te helpen.'

'Hoeveel betaal je?' vroeg Karen koel.

'Hé, luister eens.' Kwaad streek haar vader met de rug van zijn hand over zijn kin. 'Het is je verdomde plicht en taak om je ouders te helpen. Je hebt een kamer, eten, kleren. Waarvoor heb je geld nodig?'

'Vergeet het maar, ik heb al werk,' zei Karen tegen haar vader. 'Angela en ik gaan kranten bezorgen. Vanaf maandag tweemaal per dag.' Butch Slone, de boekhandelaar, had hen al in de paasvakantie aangenomen voor het karweitje. Met Angela's motor hoefde het geen zwaar werk te zijn: Angela reed en Karen stopte de krant in de brievenbus of gooide hem over het tuinhek. Butch had hen beloofd dat ze aan het eind van elke maand honderd dollar zouden krijgen en Butch was iemand die altijd zijn woord hield.

De vrachtwagenchauffeur kwam terug. Karens vader zette het flesje bier terug op de vensterbank en pakte de benzineslang om de vrachtwagen vol te gooien. Karen maakte van dit moment gebruik om 'm te smeren. Ze wist dat haar vader iets tegen haar donkere vriendin had. In Texas was de kloof tussen blank en zwart nog altijd groot. Karen liep snel, haar handen in haar zakken. Toen ze langs de boekwinkel van dikke Butch kwam, zwaaide ze vrolijk. Achter de toonbank hief Butch zijn behaarde hand op en toonde grijnzend zijn slechte gebit.

Angela woonde twee straten verder in een wit geverfd houten huisje met groene vensters. In de voortuin groeiden tomaten, pompoenen en zonnebloemen. Naast het tuintje trok Angela's jongere zusje Diana in haar nylonjurkje een driewieler door het grind. De kleine gekrulde vlechtjes met roze strikjes stonden haar leuk. Maar die eeuwige snotneus moest dringend eens een keer gesnoten worden.

'Hoi Diana,' riep Karen, terwijl ze de voordeur openduwde. 'Waar is Angela?'

'Ze werkt,' antwoordde de kleine ernstig.

'O, wat doet ze dan?'

Angela's moeder stak haar hoofd door het keukenraam. Haar glanzende tanden fonkelden en haar zwarte huid zag er in de felle zon bijna blauwachtig uit. 'Ze zit achter haar motor te repareren.'

'Dank u, mevrouw Delafontaine,' riep Karen. Ze liep langs de tomatenplanten om de woning heen naar achter. Voor een schuurtje van vermolmde en gammele planken pikten kippen en twee kalkoenen in de maïskorreltjes. Vlak bij de waslijn, waaraan was te drogen hing, zat Angela in haar blauwe, rafelige bermuda, rode T-shirt en spijkervestje met blote voeten op de grond naast haar motor. Vrolijk glimlachend keek ze op.

'Is er iets mis?' vroeg Karen.

'Ja, de verlichting. Ik moet even kijken wat er is.'

Karen ging tegenover haar zitten kijken. Angela demonteerde behoedzaam de lamp en legde de schroeven naast elkaar op een stuk papier voor haar. De verchroomde en voor een deel zwartgelakte motor, een 2-cilinder Yamaha, glansde in alle pracht en schoonheid in de zon. Om de motor te kunnen betalen had Angela iedere dag na school in de drugstore gewerkt, vijf maanden lang. Ze moest de laatste termijn van tweehonderd dollar nog betalen en dat bedrag zou ze vanaf maandag gaan verdienen met het bezorgen van kranten.

Karen keek zwijgend toe. Je kon Angela beter niet storen als ze aan haar motor sleutelde. De kalkoenen klokten, een kip krabde een kuiltje in de grond en ging erin liggen. Angela zette de delen van de lamp weer in elkaar en draaide de schroeven vast. Haar lange vingers deden behendig en rustig hun werk.

'Gaat het?' vroeg Karen vol bewondering. Zelf had ze dat nooit voor elkaar gekregen.

Angela kwam overeind, deed de lamp aan en uit en keek even nauwgezet toe als een arts die een patiënt onderzoekt. Tevreden veegde ze haar handen af aan een lap. Volgend jaar zou ze als leerling-monteur in een garage beginnen. Ondanks het leeftijdsverschil begrepen de beide meisjes elkaar goed. Karen was veertien, Angela was al bijna een kop groter. Ze had de brede schouders van een zwemster en benen waaraan geen eind leek te komen. Haar huid was niet zo zwart als die van haar moeder, eerder koffiebruin, en ze had een reusachtige bos krulhaar.

'Tim kwam op de terugweg van het reservaat met zijn vrachtwagen even langs,' zei ze. 'Het schijnt dat Geronimo het weer te pakken heeft.'

'Alweer,' zei Karen zuchtend.

Geronimo Colorado was vaak kwaad. Geen wonder, want Geronimo was niet alleen een veertienjarige indiaan, hij was ook iemand die geen blad voor zijn mond nam. Op Angela's vraag waar hij zich dit keer zo over opwond, had de oude Tim, een plaatselijke boer die haver aan de indianen leverde, zijn schouders opgehaald en gezegd: 'Geen idee. Iets met paarden, dacht ik.'

'We gaan naar het reservaat,' besloot Angela en Karen knikte instemmend.

Angela draaide de kraan open en liet een straaltje water over haar gezicht en handen lopen. Ze klemde haar brede hand om het stuur, pakte met de andere het zadel en duwde de zware machine zonder zichtbare inspanning tot voor het huis. Mevrouw Delafontaine leunde uit een van de ramen en schudde de stoffer uit.

'Ben je voor het eten thuis?' vroeg ze aan Angela.

'Weet niet,' antwoordde Angela. 'We gaan naar het reservaat.'

Mevrouw Delafontaine verdween met haar stoffer. Diana kwam aangelopen, met veel herrie haar driewieler over de stoep achter zich aan slepend, en vroeg of ze mee mocht.

'Zus,' zei Angela streng, 'ga jij zo met je driewieler om? Als hij weer kapot gaat, repareer ik hem niet meer.

Nee, vandaag kan ik je echt niet meenemen. Een volgende keer misschien.'

Ze klom op de motor en Karen ging achter haar zitten op het comfortabel verende duozadel. Met de rechterhand draaide Angela aan de gashendel en de Yamaha zette zich in beweging. Het geknetter en geronk van de motor schalde door de stille straat. Kinderen hingen uit de ramen. Anderen renden de tuinen in en krijsten van plezier en opwinding. Een hond blafte. Angela bediende de koppeling alsof het de gewoonste zaak van de wereld was. Ze stuurde haar Yamaha door poortjes als was het onbuigzame zware monster een goed getraind rijdier. Aan de rand van het stadje sloeg ze schuin af richting woestijn.

Eenmaal op de snelweg schakelde Angela met een lichte voetbeweging over naar de derde versnelling. Karen sloeg haar armen om haar vriendin heen. Ze raceten met grote snelheid over het asfalt. De motor bromde gelijkmatig en zacht. Karen glimlachte van geluk. Ze reed veel liever met de motor dan met de auto. Veel, veel liever. Ooit koop ik ook een motor, dacht ze zalig dromend. Haar haren fladderden rond haar hoofd. In de verzengende hitte zorgde de door de snelheid opgewekte tegenwind gelukkig voor enige verkoeling.

Ze lieten Silver City met zijn groene tuinen, watertoren, de cornedbeeffabriek, die smerige zwarte rookwolken in de heldere lucht uitstootte, achter zich en keken naar de gloeiende, verblindende vlakte onder de wazig blauwe hemel voor hen.

Drie kilometer na het bordje dat de gemeentegrens van Silver City aangaf, boog een weg af naar stenig terrein. Angela nam snelheid terug en de motor rolde met kleine schokken voort. De sterke vering en de schuimrubberen kussens vingen alle stoten op. De banden lieten sporen na in het met met los rolgesteente vermengde zand.

Enkele minuten later waren ze al in het reservaat van de Kiowa's. Om hier te kunnen leven moest je wel indiaan zijn. En het moesten wel blanken geweest zijn die anderen gedwongen hadden om zich in deze kale, dorre omgeving te vestigen. Het was hier in de zomer gloeiend heet, in de winter daarentegen ijskoud. Rond de droge rivierbedding lagen kleine aanplantingen met maïs. Elektriciteitsmasten stonden langs de weg, die recht naar de bouwvallige, dicht opeenstaande kleine zandstenen huisjes rond het kerkje voerde. Gevolgd door een flinke rode stofwolk reed de motor de Kiowanederzetting binnen. Vrouwen liepen woningen in en uit. De meesten waren al oud, maar er waren toch ook wel jonge moeders met kinderen. Bijna allen gingen gekleed in jeans of jurken van lelijk geverfde katoen. Enkele oudere vrouwen droegen nog de traditionele kleding van de eigen stam: ruime, over elkaar gedrapeerde rokken, een geborduurde blouse van fluweel en zilveren en turkooizen sieraden. Twee of drie tandeloze oudjes hokten samen in de schaduw en waren ondanks de ochtendwarmte gehuld in dikke, met typische patronen versierde dekens. De vrouwen lachten en wuifden naar de passerende motor. Kinderen met vieze neusjes krijsten van plezier. De oude mannen, die meer op mummies leken, verroerden geen vin.

Je zag in het reservaat nauwelijks jongemannen of mannen van middelbare leeftijd. Bijna allen werkten ze in Silver City en kwamen pas 's avonds weer thuis. Er waren er maar enkelen die op de velden werkten of de schapen hoedden.

Ze passeerden een troosteloos cafeetje, een verlaten school en een drugstore annex kleine horecagelegenheid die meer op een opslagschuurtje leek. Het zandstenen huisje van Geronimo Colorado lag iets buiten de dorpskern tegen een heuveltje. Via zijn vader, die was overleden aan tuberculose, stamde Geronimo af van het grote indianenopperhoofd Satanta. Satanta had in de noordelijke prairies gevochten om de laatste bizonkuddes tegen uitroeiing te beschermen en was om die reden in de gevangenis van de yankees terechtgekomen en daar ook gestorven. Geronimo's moeder Betty was lerares in het reservaat. In de vakanties en op vrije dagen werkte ze bij de post in Silver City om wat bij te verdienen.

Powder, het paard van Geronimo, een grote magere en verlegen vos, stond vastgebonden onder een rieten dakje naast hun huisje. Toen de glanzend zwarte motor vlak voor Powders stalletje stopte, deinsde hij een stap achteruit en rukte aan zijn touw.

In zijn spijkerbroek en gestreepte shirt kwam Geronimo Colorado hoofdschuddend naar buiten lopen. 'Powder zal nooit aan die monsters wennen!'

Hij streek over de hals van het paard en krabbelde met zijn vingertoppen over het gevoelige stukje huid tussen zijn ogen. Gekalmeerd liet Powder zijn hoofd weer zakken. Er ging een trilling door zijn roodachtige vel waarop een laagje stof kleefde.

Kinderen stonden op respectvolle afstand rond de motor. Angela wist uit ervaring dat niemand hem zou aanraken. De meisjes volgden Geronimo naar binnen. Tussen die muren met die kleine ramen was het aangenaam koel en schemerig. De woonkamer was simpel ingericht: een open haard, waar 's winters een vuurtje gloeide, een tafel, stoelen, een bank met daarop veel kleurrijk geborduurde kussens, een Spaans buffet en een boekenkast met planken, steunend op bakstenen. Twee bijzonder mooie handgeweven dekens met indiaanse patronen in rood en zwart hingen als decoratie aan de muur. Daartussen had Geronimo zijn gitaar opgehangen.

'Koffie?'

Naast de gootsteen, die vol stond met afwas, stond een grote koelkast. Geronimo zette een keteltje met water op de elektrische kookplaat, spoelde enkele mokken af, zette suiker op tafel en legde er een tube gecondenseerde melk naast. Hij liep naar de platenspeler en zette fluitend een plaat van Bob Dylan op.

'Tim de haverboer is zo-even bij ons geweest,' zei

Angela. 'Je hebt je kennelijk weer iets op de hals gehaald.'

'Zo, heeft hij je alles verteld?' zei Geronimo terwijl hij aandachtig het water voor de koffie in de gaten hield. Zorgvuldig nam hij de juiste hoeveelheid koffie en zette de gevulde mokken op tafel. 'Ik weet niet of er in deze keet nog koekjes zijn.' Hij doorzocht het buffet. 'O, chocola. Daar ben jij toch dol op, Angela?' Hij vouwde het zilverpapier open en rook eraan: 'Een beetje oud, kan je dat wat schelen?'

Hij ging op het dichtstbijzijnde krukje zitten en steunde met zijn ellebogen op tafel. Zijn volle bos sluik haar viel over zijn schouders. Met zijn wipneus, opvallend pikzwarte ogen en goudbruine huid was er niet de geringste overeenkomst te herkennen met opperhoofd Satanta. Knap was hij zeker. Zijn alerte reacties hadden hem al heel wat opgeleverd, zowel op school als elders. Hij was zeer begaafd. Hij zou al over twee jaar naar de universiteit in Dallas gaan. Het was een gelukje dat iemand met zo'n heerlijke stem fantastisch gitaar kon spelen. Afhankelijk van de stemming vertolkte hij de moeilijkste protestliedjes of wist na elf uur 's avond met sentimentele liedjes bij menigeen een tere snaar te raken.

'Oké,' zei Karen, 'wat is er aan de hand?'

'Die klojo's,' barstte Geronimo uit, 'die rotbende, die ellendelige stropers. Creperen zullen ze.'

'Wie dan?' vroegen de meisjes tegelijkertijd.

'De Jacksons en hun roversbende.'

'O die!' riep Karen. Angela zweeg.

Terry Jackson, zijn broer Dane en twee of drie andere druktemakers in hun gevolg waren de opschepperige patsertjes van Silver City. Ze kwamen uit goede families en maakten elke zaterdagavond het stadje onveilig. Groot, blond en blank, de nek kort opgeschoren en volgepropt met steaks, ijs en popcorn – dat typeerde ze ten voeten uit. Texaanse hoed en stropdas zondagochtend en cowboylaarzen de rest van de week.

'En sinds wanneer ga jij met die lui om?' vroeg Karen spottend.

'Gistermiddag reed ik op Powder in de omgeving van de Mesa Verde en daar zag ik Terry, Dane en een ander type in een landrover. Ik volgde ze, wat niet zo moeilijk was, want ze reden door de vallei. Ik hoefde alleen maar de heuvelrug te volgen. En Powder is een goede klimmer, dat mag bekend zijn. Opeens zag ik een kudde wilde mustangs op weg naar de Kiowa Creek om te drinken. In de zomer daalt de waterspiegel en dan komen ze vrij dicht bij de nederzettingen – op zoek naar water en vers gras. De Jacksons lieten hun landrover uit voorzorg op enige afstand staan en kropen van rots naar rots in de richting van de mustangs. Ik zag dat ze geweren bij zich hadden.'

'Geweren?'

'Erewoord. Ik mocht geen seconde meer verliezen. Ik joeg Powder in galop over de helling van de Mesa Verde en gilde zo hard ik kon de strijdkreet van mijn overgrootvader. De mustangs schrokken en verspreidden zich. Ik reed hard achter ze aan, schreeuwde me schor en dreef ze in de richting van de ravijnen, waar de landrover ze niet zou kunnen volgen. Daarna reed ik terug om de Jacksons erop te wijzen dat ze zich op het territorium van het reservaat bevonden en onmiddellijk dienden te verdwijnen.'

'Dat vonden de Jacksons vast niet leuk,' merkte Karen op. En Angela voegde er betuttelend aan toe: 'Je loopt zo wel het risico dat ze je een keer in elkaar slaan.' In gedachten verzonken deed ze suiker in de koffie en roerde.

Geronimo haalde grijnzend zijn schouders op. 'Als jullie hun gezichten hadden gezien. Ze waren witheet van woede.'

'Dat moet vergeleken met jou een mooi contrast geweest zijn.' Karen trok haar wenkbrauwen vragend op: 'Waarom willen ze die mustangs eigenlijk doodschieten?'

'Kun je dat niet bedenken?' Geronimo lachte niet meer en zijn ogen vernauwden zich tot spleetjes. 'Om kattenbrokjes en hondenvoer van te maken. In Texas is er kennelijk geen wet die wilde paarden beschermt. De cornedbeeffabriek in Silver City heeft met de Jacksons een afspraak gemaakt: tweehonderd dollar per paard. Leuk bedragje. Toch? Snel verdiend in een weekendje.'

'Hebben de Jacksons jou dat verteld?'

'Zeker. Maar ze vloekten en dreigden en hielden hun geweren op mij gericht. Ze hebben mij gewaarschuwd dat als ik ze nog een keer voor de voeten zou lopen, ze mij af zouden maken.' Hij kneep hard in de tube met gecondenseerde melk. 'Dit keer kon ik de kudde tijdig wegjagen, maar de paarden komen daar weer terug. De Kiowa Creek is de enige plek in de wijde omgeving waar nog water te vinden is. De Jacksons zullen de tijd nemen, de mustangs opwachten en doodschieten.'

Angela likte de chocola van haar kleverige vingers. 'We moeten Larry op de hoogte stellen,' zei ze.

'Waarom Larry?'

'Nadenken! Laat je hersentjes werken, mocht je die al hebben. Is zijn vader de burgemeester van Silver City of is hij dat niet?'

Geronimo blies lucht door zijn tanden: 'Geen slecht idee, zwarte schoonheid. Alleen een hoge piet kan hier wat doen.'

'Nou, waar wachten we dan nog op?'

Met kracht duwde Geronimo Colorado het krukje achteruit en zei snel: 'Even Powder zadelen en ik ben klaar.'

Ze stonden alle drie op, zeiden Geronimo's moeder gedag en liepen naar hun respectievelijke vervoermiddel. De meisjes reden op de motor iets vooruit en buiten bereik van de stofwolk galoppeerde de indiaan op zijn trouwe ros. Angela reed vrij langzaam op haar Yamaha. De eerste versnelling kon Powder zonder veel inspanning bijhouden.

Hoe hoger de zon rees, des te onverdraaglijker werd het felle licht en de verschroeiende hitte. Verblind knipperde Karen met haar ogen. Ze moest denken aan Larry's zwembad met het heldere water en op de bodem die koele, vrolijke, turkooizen tegeltjes. Verdomd jammer dat ze haar zwemspullen niet meegenomen had.

Vlak bij Silver City nam Geronimo de kortere weg naar het stadje over de droge steenvlakte waar slechts kleine, grijze, egelachtige cactussen wilden groeien. De motor snorde in een gelijkmatig tempo over het asfalt. Bij het begin van de bebouwde kom kwamen ze weer bij elkaar. Angela vertraagde en schakelde terug naar een lagere versnelling, aangepast aan het zaterdagverkeer in het stadje. Ze sloegen de hoofdstraat in – een langgerekte straat met winkels, supermarkten en cafés. Slingerend passeerden ze huisvrouwen met haarspelden in het haar, auto's en bestelbusjes volgeladen met inkopen voor het weekeinde. Met het verkeer mee reden paard en motor om het centrale plein heen, passeerden de spoorweg en sloegen schuin af de villawijk in. Het geluid van de klepperende hoeven en het gedempte knetteren van de motor doorbraken de stilte die in deze wijk heerste. Het asfalt was er schoon en glad. In de smaakvol aangelegde en verzorgde tuinen draaiden de verkoelende tuinsproeiers sissend rond. De villa's lagen verder van de weg achter hekken, haagjes van bougainville of oleander en dichte bosschages of bomen.

Een dikke haag omringde het huis van Larry Coleman. Vanaf de straat zag je alleen het schuine dak en vier dakvensters. Het hoge smeedijzeren hek zat op slot. Terwijl Angela de steun van haar Yamaha uitklapte en de motor afzette, was Karen al van de motor gesprongen en drukte op de bel. Een licht geknars en de deur zwaaide open.

Larry kwam blootsvoets over het gazon naar hen toe, slechts gekleed in een lichtblauwe badjas. Het rond geknipte haar bekroonde een vriendelijk gezicht. Zijn zachte, bijziende ogen fonkelden jongensachtig achter zijn ronde brilletje. 'Hallo,' riep hij geeuwend. 'Jullie zijn exact op tijd voor het ontbijt.'

Ze zagen dat de tafel op de veranda gedekt was. Een zilveren koffiekan, sinaasappelsap, geroosterde boterhammen, jam, eieren met spek en bananen.

'Heb je soms een tik van de molen gehad?' vroeg Karen en tikte met haar rechterwijsvinger tegen haar voorhoofd. 'Het is al middag.'

'Nou en... het is toch zeker een vrije dag,' antwoordde Larry.

Met zijn paard bij de teugel kwam Geronimo over het met platte stenen verharde pad door het dichte struikgewas aangelopen.

'Wacht nog even. Ik kom eraan, ik zet Powder snel even in de schaduw en geef hem wat water.'

'Hoeft niet,' riep Larry terug. 'Ramon zorgt wel voor Powder.'

Hij riep enkele Spaanse woorden naar de tuinman,

die uit het tuinschuurtje tevoorschijn kwam. Lachend nam Ramon de teugel over van de jonge indiaan en verdween met Powder achter het huis.

Larry geeuwde weer. 'Oké dan, ik ga eten. Eten jullie mee of niet?'

'Als we nu eten, dan is dat ons middagmaal. En wij zijn 's middags echte veelvraten, als je dat maar weet,' merkte Geronimo op terwijl hij verlekkerd over zijn maag wreef.

'Heb je misschien wat chocola?' vroeg Angela.

Lachend verdween Larry in huis. Even later bracht July, de huishoudster, een stapeltje borden, messen en vorken naar het tafeltje op de veranda.

De dikke en statige negerin leek, vond Karen, door haar zware, maar toch soepele tred op een vriendelijke olifant. Ze ontblootte een rij gouden tanden en vroeg doodleuk: 'Wie heeft er trek in pannenkoeken met esdoornstroop?'

Ze gingen allemaal aan tafel zitten. Larry schonk sinaasappelsap in. Vragend keek hij van de een naar de ander.

'Wat is er eigenlijk aan de hand? Jullie trekken zulke bezorgde gezichten...'

'We moeten je vader spreken,' zei Karen.

Larry, de karaf in zijn hand, keek haar peinzend aan.

'Onmogelijk. Mijn ouwelui zijn naar Wichita in Kansas. Ze zijn nog geen uur weg.'

Karen keek Geronimo aan, die op zijn beurt Angela aankeek. Angela zuchtte. 'Wanneer zijn ze terug?'

'De komende week niet. Ze nemen daar deel aan een congres en daarna willen ze nog een paar dagen vakantie nemen. Waarom? Is het dringend?'

Karen vloekte. Geronimo en Angela zwegen somber. Larry had er genoeg van en zette de karaf met een klap op tafel. 'En willen jullie dan nu eindelijk eens vertellen wat er aan de hand is?'

Ze begonnen het uit te leggen en Larry luisterde ontspannen naar hun verhaal. Hij was een rustig en nadenkend type, hoewel zijn ouders dat 'luiheid' noemden. Zijn ongeveinsde verontwaardiging won het dit keer echter van zijn gelatenheid.

'De Jacksons natuurlijk. Die rotzakken. Ik weet zeker dat papa deze vuile streek zou kunnen verhinderen. Hij beschikt over een hoogst doeltreffend middel: de openbare mening. Druk uitoefenen op de directie van de cornedbeeffabriek.'

'Kunnen we hem niet telefonisch bereiken?' vroeg Geronimo.

Larry schudde van nee. 'Helaas niet. Pa neemt zijn mobieltje nooit mee als hij privé op stap gaat. Dan wil hij met rust gelaten worden. Het vervelende is dat ze de naam van het hotel pas doorgeven als ze ingecheckt hebben. Ma heeft wel beloofd dat ze zou bellen, maar ik heb geen idee wanneer. Dat kan vanavond zijn, maar ook morgen of pas over twee dagen. Eén ding is zeker, pa kan niets doen zolang hij hier niet terug is.'

Dat noemen ze dus informatie. Ze zwegen alledrie. Machteloosheid, dat was wat ze voelden.

'Voilà, de pannenkoeken,' zong July opgewekt, 'warm en heerlijk zoet.' Triomfantelijk zette ze de grote zilveren schaal, hoog opgetast met een indrukwekkend aantal pannenkoeken, op tafel.

Niemand reageerde. July geloofde haar ogen niet. Ze zette haar handen in haar zij: 'En waag het niet om nu te zeggen dat jullie geen trek meer hebben!'

'July,' vroeg Larry ernstig, 'houd jij van paarden?'

'Natuurlijk.'

'En als men nu hondenvoer maakt van paarden, wat zou jij dan zeggen?'

'Hondenvoer van... O, hemeltjelief!' July werd hoe langer hoe kwader toen Larry haar een korte samenvatting van de situatie gaf. July was witheet. 'Hier kan alleen je vader wat aan doen. Vervelend dat hij uitgerekend vandaag weg moest.'

Ze staarden stil en bedrukt naar de warme pannenkoeken. De boter en heerlijke stroop druipten eraf.

'Eten, zolang ze nog warm zijn,' zei July opmonterend. 'Misschien vinden jullie toch nog een oplossing.'

'Door het eten van pannenkoeken?' vroeg Geronimo met duidelijke twijfel in zijn stem – maar hij legde wel een pannenkoek op zijn bord.

Ze aten zwijgend en zonder veel plezier. Opeens zei Angela, in gedachten verzonken: 'Larry, is er niet een wet die de mustangs tegen uitroeiing beschermt?'

Larry slikte een flinke hap door en trok een geleerd gezicht. Als hij dat deed, kon hij meestal op bijtende

opmerkingen van de anderen rekenen. Vandaag niet.
'Die is er niet. Pa heeft me dat een keer uitgelegd. In bijna alle staten van Amerika krijgt iemand die wilde paarden doodt, een zeer hoge geldboete. Texas is de enige uitzondering. Ooit waren er hier veel te veel mustangs. Toen die wilde paarden de oogsten vernielden, namen de boeren het recht in eigen hand en schoten ze dood. De tijden zijn veranderd, maar zo'n wet is er hier nooit gekomen.'

'Stel,' zei Angela met haar rustige, zware stem, 'een kudde mustangs uit Texas passeert de grens met New Mexico...'

'Op het moment dat ze op het grondgebied van New Mexico staan, worden ze beschermd door de wet van New Mexico,' verzekerde Larry haar.

'Hoeveel mijl is het naar de grens?'

'Ongeveer twintig, dwars door de woestijn,' antwoordde Geronimo Colorado en vergat zijn opgeheven vork in zijn mond te steken. 'Wil je daarmee zeggen dat...'

Angela kneep haar oogleden samen: 'Je schijnt wat traag van begrip te zijn, achterkleinzoon van het grote opperhoofd!' merkte ze droog op.

Karen en Larry keken elkaar even over de tafel aan.

'Luister, Black Power. Wij zijn misschien ook wat traag van begrip, maar we willen nu wel eens weten...'

Geronimo was opgesprongen en liep opgewonden over de veranda heen en weer. 'Wij zijn betreurenswaardige nullen, Angela is een genie. Natuurlijk, dat is de oplossing. De mustangs moeten door de woestijn naar New Mexico gedreven worden.'

'Geniaal,' zei Larry enthousiast. 'Ik wed dat pa het ermee eens zou zijn.' Boos stak hij zijn hand op en wees met een vinger naar Angela en riep: 'En waarom heb jij altijd van die goede ideeën en ik nooit?'

'Omdat jij geen chocola eet,' antwoordde Angela droog. Ze pakte een chocolaatje uit de doos die July zojuist voor haar neus had neergezet en vermaalde het dromerig tussen haar tanden. Angela beweerde altijd dat je van chocola beter ging nadenken.

Ook Karen deed een duit in het zakje. 'Het schiet me opeens te binnen dat oom Phil, een broer van mama, bij de grenspolitie in San Pascual werkt, een gehucht niet ver van El Paso. Dat is een goeie kerel. Hij zal ons vast en zeker helpen.'

'En ik ken alle wegen door de woestijn,' voegde Geronimo eraan toe. 'De Yamaha komt er makkelijk door. Het gaat bijna vanzelf als je in zuidwestelijke richting rijdt.'

Angela knikte. 'Oké, ik denk dat de mustangs doodsbang zullen zijn voor die lawaaimachine van ons. We hoeven alleen maar wat te knetteren en te knallen en de kudde begint te rennen.'

'Hé, wacht eens even,' zei Larry. 'Ik heb geen paard. Ik heb geen motor. Alleen zo'n armzalige fiets, waarvan de versnelling al bij de eerste de beste bocht doortrapt. Jullie denken toch niet dat ik marathonloper ben en wel even achter jullie aan ren. Of word ik geacht voorop te lopen om de weg te wijzen?'

Geronimo legde lachend een hand op zijn schouder: 'Ach, joh, wind je niet zo op. Powder is sterk. We gaan met zijn tweeën op Powder.'

Hij keek ingespannen over het land. Met samengeknepen ogen observeerde hij de onbeweeglijke bomen in de gloeiende hitte. 'De Jacksons zullen wel bij de Kiowa Creek kamperen. Zodra de zon ondergaat, komen de paarden terug om te drinken en lopen nietsvermoedend in de val. Dat moeten we zien te verhinderen.'

Zaterdagmiddag

In de donkere woonkamer zat oma in haar schommelstoel en waaide zich met een oude krant wat koelte toe. De stilte werd alleen verstoord door het gezoem van een wesp, het tikken van de oude slingerklok en het lichte geknars van de schommelstoel op de geboende vloer.

Karen deed zonder geluid te maken de deur dicht. Ze liep met lichte passen naar oma, maar die had haar al gehoord. De oogleden voor die blauwe vergeet-mij-niet oogjes weken uit elkaar.

'Heb ik u gewekt?' fluisterde Karen.

'Je weet best dat ik 's middags nooit slaap,' verzuchtte oma. 'Ik rust een beetje uit, verder niks.' Ze maakte aanstalten om op te staan. 'Je ouders zijn bij de Clarks. Ik heb je eten weggezet. De bonen moeten nog opgewarmd worden.'

'Blijf maar zitten,' zei Karen. 'Ik heb al gegeten. Ik wil u iets vragen – u moet mij helpen. Ik kom vanavond niet thuis.'

'Wat moet ik dan tegen je ouders zeggen?' vroeg oma niet erg onder de indruk en evenmin erg geschrokken.

'Weet ik veel,' antwoordde Karen. 'Bedenk maar een excuus, iets, maar houd Angela er in hemelsnaam buiten. U weet dat ze haar niet kunnen uitstaan.'

'En waar slaap je dan?'

'Waarschijnlijk heb ik geen tijd om aan slapen te denken. We gaan de woestijn in en...'

'Hé, luister goed, kindje,' zei oma rustig. 'Zou je me niet eens alles vanaf het begin vertellen?'

Terwijl Karen het verhaal deed, bleef oma met haar oude krant waaieren. Aan haar heldere ogen was niets af te lezen. 'Dat is een bijzonder ridderlijk en moedig besluit van jullie,' zei ze ten slotte. 'Maar wees alsjeblieft erg voorzichtig. De Jacksons zijn impulsieve lui en gewetenloos bovendien.'

'Ik heb nog één verzoek,' merkte Karen op. 'Bel alstublieft met oom Phil in San Pascual. Zeg tegen hem dat wij morgen in de loop van de dag met de mustangs de grens willen oversteken.'

'Maak je geen zorgen,' zei oma. 'Dat zal ik wel regelen.' Ze steunde op de tafel en drukte zich puffend op. Als ze lang zat, werden haar gewrichten stijf. Ze ging naar de voorkamer, opende de kast waarin Karens vader zijn zaken bewaarde en rommelde er even in. Ze haalde een veldfles tevoorschijn, zo'n ding dat militairen gebruiken, en gaf hem aan Karen. 'Eerst goed schoonspoelen, vullen met water en wat ijs erbij.'

Karen gehoorzaamde lachend. Ook dit keer was oma haar bondgenoot!

De oude vrouw was naar haar kamer gegaan en kwam terug met een linnen tas en een doosje met verband, hechtpleisters en ontsmettingsmiddel. 'Ik wed dat niemand van jullie aan dit soort praktische dingen gedacht heeft,' zei ze. 'Wat moeten jullie doen als er iemand gewond raakt?'

'Dankuwel, oma,' zei Karen ontroerd.

'Wacht nog even.' Oma haalde een sleuteltje uit de zak van haar schort, opende een la, pakte een versleten portemonnee en nam er een verfrommeld biljet van vijf dollar uit. 'Pak maar aan. Zelfs in de woestijn kan je dat nodig hebben. En vergeet niet om iets warms mee te nemen. De nachten in de woestijn zijn ijskoud!'

'Dat zal ik doen, oma.' Karen liep naar haar slaapkamer, opende voorzichtig de deur en sloop naar binnen. Haar zus Barbie werkte als caissière in een van de supermarkten in de hoofdstraat en lag op zaterdagmiddag altijd te slapen zodat ze 's avonds goed in vorm was en tot diep in de nacht kon dansen. Op het kussen zag Karen alleen een dot blonde haren met krulspelden en ze moest onwillekeurig aan een stekelige egel denken. Karen boog zich om haar anorak te pakken en stootte haar voet tegen de commode. 'Au!'

Barbie opende slaapdronken haar ogen en mompelde geïrriteerd: 'Moet je nou altijd zo'n herrie maken?' Ze trok het laken over haar hoofd en draaide zich om naar de muur. Karen verliet licht hinkend de kamer.

Oma wachtte op haar in de woonkamer. Ze had het linnen tasje met brood en bananen gevuld en hield een groot glas melk in haar hand. 'Drink dat op voordat je gaat. En pas goed op jezelf.'

Karen liep door de brandende zon, de linnen tas en de veldfles bungelend over haar schouder. De anorak had ze om haar heupen gebonden, zodat ze haar handen vrij had. Toen ze bij het huis van Angela kwam, stond haar vriendin al op haar te wachten. Ze boog zich over haar motor en frommelde aan iets. Ze had laarzen aangetrokken en de valhelm met het gele vizier had ze aan de bagagedrager vastgeknoopt. Ze gaf Karen een andere helm, een aftands ouderwets model.

Karen vertrok haar gezicht: 'Ik wil geen helm, daar word ik gek van.'

'Ik ook,' antwoordde Angela, 'maar het kan handig zijn. Ik heb al getankt. Zullen we gaan? Geronimo en Larry zijn vast al lang in het reservaat.'

'Wat zeiden jouw ouders?' vroeg Karen terwijl ze naar de motor liepen en erop klommen.

Met één voet nog op de grond draaide Angela haar hoofd om en keek haar over haar schouder aan. 'Ze zeggen nooit iets bijzonders. En de jouwe?'

'Oma heeft aangeraden om voorzichtig te zijn, dat is alles,' antwoordde Karen op een gespeeld onverschillige toon. Ze wist heel goed dat oma zich ongerust maakte en waarschijnlijk de komende nacht geen oog dicht zou doen. Toch had oma haar zonder ook maar een seconde

te aarzelen gesteund en eten en geld gegeven. Waarom zou ze dat doen? vroeg Karen zich nadenkend af. Er schoten een aantal gebeurtenissen door haar hoofd en ze begreep dat oma altijd en overal in actie was gekomen als haar verantwoordelijkheidsgevoel dat eiste.

Angela drukte op de koppeling en de motor sloeg aan. Toen ze aan het eind van de straat de hoek omsloegen, gaf ze gas. Dit keer lokte het lawaai niemand naar het raam: iedereen sliep in de ondraaglijke middaghitte. Ze raceten in de derde versnelling over de snelweg. Karen voelde het getril van de motor door haar hele lichaam. Met gebogen hoofd keek ze naar de zwarte, schuine schaduw op het gladde asfalt. Ze leken wel vliegende vogels.

Tussen de elektriciteitspalen en de bouwvallige huisjes van zandsteen trilde de witgloeiende hitte. De nederzetting leek uitgestorven. Alleen de oudere mensen zaten nog steeds op de grond. Gewikkeld in een deken leunden ze tegen de muur. Ze trokken met de zon mee rond de woning, in de winter de warmte zoekend, in de zomer de koele schaduw.

Powder stond met gebogen hoofd onder het rieten dakje. Een deken, een zak proviand en een paars met okergele Mexicaanse poncho hingen aan het zadel.

Toen de motor voor het huis stilhield, kwam Geronimo's moeder naar buiten. De kleine, magere vrouw had een tere lichaamsbouw en een gladde, koperbruine huid. Op haar voorhoofd vormde de haarlijn een kleine punt, waardoor haar gezicht de vorm van een hartje had. Het haarknotje werd door een netje bijeengehouden. Ze droeg een donkerblauwe, ouderwetse en veel te lange jurk, maar haar stond het origineel en zelfs leuk.

'Kom erin,' zei ze vriendelijk. 'Geronimo en Larry hebben het al verteld. Alles is klaar.' Ze sprak met een heldere, rustige en zachte stem waarvan gezag uitging. Ze ging hen voor in huis. In het halfdonker rommelde Geronimo in de kast, terwijl Larry, die samen met hem op Powder was meegereden, op de bank lag en lui een slap handje in de lucht stak. 'Hallo, meisjes! We dachten dat jullie de voorkeur gegeven hadden aan die show van Jerry Lewis op televisie.'

'Idioot,' antwoordde Karen. Ze zette haar tas op de vloer. 'En jij, wat doe jij eigenlijk op die bank?'

'Siësta!' antwoordde Larry behaaglijk grijnzend. In plaats van zijn badstoffen badjas droeg hij een spijkerbroek en een zwart T-shirt waarop Tarzan te zien was die een leeuw de nek omdraaide.

'Daar is-ie. Ik heb 'm!' riep Geronimo en sloot de kastdeur. Hij draaide zich om en hield een dolk in zijn handen die in een zwartleren foedraal stak dat met franjes en verbleekt stiksel versierd was.

'Wat is dat?' vroeg Karen.

'De dolk van mijn overgrootvader Satanta.' Hij trok de dolk uit het foedraal en gleed met zijn duim over de messnede. Het metaal had in het halfduister een blauwachtige glans.

'Denk je dat je overgrootvader met deze dolk vijanden gedood heeft?' vroeg Karen danig onder de indruk.

'Ja, waarschijnlijk wel.' Geronimo grijnsde. 'Ik wil je je oorlogszuchtige fantasieën niet ontnemen, maar ik ben niet in staat om zelfs maar een vlieg dood te slaan. De dolk is mijn talisman mocht de situatie gevaarlijk worden. En hij komt goed van pas om in verloren uurtjes wat te snijden in stukjes hout. Mag ik hem meenemen, mam?'

'Hij is altijd van jou geweest,' antwoordde de indiaanse met haar zachte stem.

Geronimo maakte zijn gordel los, hing de dolk eraan en sloot de gesp weer.

'Tjonge jonge,' zei Larry bewonderend fluitend. 'Hier ontbreekt alleen nog een verentooi.'

'En nu niet overdrijven, hè!' reageerde Geronimo. 'Als je weet hoe dat ruist en kraakt. Het is mij niet duidelijk hoe mijn voorouders met een dergelijke uitdossing op hun hoofd op oorlogspad konden gaan.'

'Ik heb Geronimo uitgelegd dat het beter is de vlakte te vermijden en de weg door de kloof naar de Mesa Verde te volgen,' merkte Geronimo's moeder ernstig op. 'De Jacksons hebben oostelijk van de Kiowa Creek hun tent neergezet om daar op de paarden te wachten. Een van onze mensen heeft ze daar vanmorgen gezien.'

'Kom ik er met mijn motor door?' vroeg Angela.

'De afdaling is wat steil, maar er is een onverharde weg,' zei Geronimo. 'Ik zal de weg wijzen.' Hij opende een fles mineraalwater en zwaaide er uitdagend mee boven Larry's hoofd. 'Zodra deze luilak zijn siësta beëindigd heeft, kunnen we gaan.'

'Ik ben al wakker,' riep Larry en sprong zo snel op dat de veren van de bank kraakten.

Ze stapten verblind in het felle zonlicht. In de nederzetting was het opeens drukker geworden. Karen vroeg zich af of het lawaai van de motor de mensen wakker gemaakt had. Maar Geronimo zei dat het op zaterdag altijd zo was. De mannen waren terug uit Silver City en rond deze tijd hingen ze dan altijd met zijn allen rond bij het cafeetje en de drugstore, die intussen hun luiken geopend hadden. De zwarte ogen van de indianen blikten uitdrukkingsloos in de leegte. Ze maakten de indruk dat ze niet eens opmerkten dat de vier vertrokken, maar Karen had sterk het gevoel dat het hele reservaat op de hoogte was van hun plannen.

Als altijd stond er een flinke troep kinderen rond de motor. Eén van hen vroeg verlegen aan Angela: 'Hoe hard kan-ie?'

'Op de snelweg honderdtachtig,' antwoordde ze met haar rustige, opgewekte lachje. Er ging een bewonderend gefluister door de rij kinderen. Een van de grotere jongens trok een kleuter die naar de motor wilde lopen aan de hals van zijn hemdje terug.

Intussen had Geronimo Powder losgemaakt. Hij klom in het zadel en hielp Larry opstijgen. Met haar hand aan de gashendel gaf Angela Geronimo een teken dat hij voorop moest rijden.

Geronimo's moeder, met haar afgedragen en door het vele stof verkleurde schoenen, keek hen na. Angela had opeens het idee dat er kaneel over haar bruine enkels gestrooid was. De indiaanse zei niets in de trant van 'wees voorzichtig' of iets dergelijks. Misschien had ze dat eerder al gezegd. Haar gezicht bleef onbeweeglijk. Toen Angela knallend de motor aanzette, hief ze zonder glimlachje haar hand ten afscheid.

Ze namen de weg door het dorp en vervolgens de nog zelden gebruikte oude hoofdweg met zijn vele gaten en diepe wagensporen. In de winter veranderde deze weg in een moerassige rivierbedding waar geen voertuig meer doorheen kwam. De indianen die ze tegenkwamen stapten zonder iets te zeggen opzij, maar hun zwijgen maakte meer indruk dan eventuele woorden.

Zaterdagavond

De middag liep ten einde, maar het was nog altijd even heet. In deze eenzame omgeving was geen geluid te horen. De stoffige nevel was gaan liggen en de hemel glansde turkoois. Terwijl Geronimo een kortere weg langs de heuvel nam, bleef Angela op de vaag herkenbare, slingerende onverharde weg. De Yamaha kon de schokken en stoten goed verwerken. Af en toe trilde de motor als de wielen doordraaiden of Angela driftig moest schakelen. In de verte zagen ze een gebergte met een vlakke top en steile hellingen: de Mesa Verde. Na ongeveer een half uur waren ze bij de kloof waardoor 's winters een zijriviertje van de Kiowa Creek stroomde. In de zomermaanden droogde de rivierbedding op en bleven er kleine witte zandbankjes achter.

'Pas op dat je niet vast komt te zitten!' riep Geronimo naar Angela. 'Volg mij.'

'Oké!' Ze stuurde met grote voorzichtigheid haar motor langs de verraderlijke zandverstuivingen. De grond was bezaaid met scherpe, puntige stenen, vaak verborgen onder zand. Karen vroeg zich bezorgd af of de banden al die hindernissen ongeschonden zouden overleven. De schuinstaande zon brandde op hun lichamen en de grond was zo heet als een oven. In de kloof groeide vrijwel niks, alleen een paar cactussen en verdorde struiken, door sprinkhanen kaal gevreten. Angela reed langzaam in de eerste versnelling. Af en toe liet ze een voet over de bodem glijden om haar evenwicht te bewaren. Opeens gaf Geronimo een teken dat ze moest stoppen. Ze hielden stil aan de voet van een enorme aardverschuiving. Rotsblokken, keien en steentjes hadden een hoge berg gevormd.

'De bron van de Kiowa Creek ligt hier direct achter,' zei Geronimo. 'Ik klim naar boven om te kijken hoe het aan de andere kant is. Ik ben zo terug.' Larry klom van het paard, Geronimo liet de teugel los op Powders hals liggen, zwaaide zijn been achterwaarts over het zadel en sprong op de grond.

Ze zagen hem zo lenig als een gems van rotsblok naar rotsblok klauteren. De helling was kennelijk minder steil dan van beneden leek. Na enkele minuten was Geronimo op de vlakke top van de tafelberg. Hij keek naar beneden en zag de motor als een glimmend zwart insect in het zonlicht blinken. Gebukt liep hij over de vlakke top naar de andere kant. Hij hoorde een licht geplets: de bron van de Kiowa Creek die zich halverwege de rotswand een weg naar buiten baande, viel in een natuurlijk bekken onder aan de tafelberg. Zover het oog reikte, strekte de okerkleurige woestijn zich uit. Aan de horizon vormde de snelweg naar Silver City een blauwachtig lint.

Plotseling kneep de jonge indiaan zijn oogleden samen. Hij had de witte driehoek van een tent op de uitloper van een puinheuvel ontdekt. De landrover stond geparkeerd in de schaduw van een rots. De motorkap was open en een man boog zich over de motor. Een ander zat op de grond en zocht in een tas. Waar is nou in hemelsnaam die derde? vroeg Geronimo zich af. Hij moet in de tent zijn of misschien is hij de omgeving aan het verkennen.

De jonge indiaan drukte zijn lippen op elkaar en kroop op handen en voeten behoedzaam achteruit. Toen hij er zeker van was dat niemand hem meer kon zien, ging hij staan, draaide zich om en ging er als een haas vandoor. De drie die onder aan de andere helling op hem wachtten, zagen hem in een stofwolk over de helling naar beneden roetsjen.

'Mama had gelijk!' riep hij buiten adem. 'De tent staat aan de andere kant van de Kiowa Creek. Eén van de drie was er niet. Hij is vast op pad om de paarden te zoeken.'

Angela hief haar hoofd op en snuffelde als een jachthond. 'Het wordt koeler. De mustangs zullen zo komen. We moeten opschieten.'

De meisjes klommen op de motor en Geronimo en Larry slingerden zich op het paard. Het geronk van de motor weerkaatste keihard in de kloof, maar aan de andere kant van de berg, daar waar de tent stond, was het kabaal gelukkig niet te horen. Over een steile, met stenen bedekte helling doken ze weer op uit de kloof.

Geronimo hield opeens zijn paard in. 'Daar! Kijk!'

Larry kneep zijn bijziende ogen samen. Hij zag vaag dat zich in de verte een gele wolk uitbreidde.

'Wat is dat? Vuur?'

'Geen vuur, eikel. De mustangs!'

Angela had de motor afgezet. De wolk werd steeds groter. Stofdeeltjes dansten in de schuinstaande zon. Een onduidelijke maar bewegende massa tekende zich af tegen de woestijn. Al snel hoorden ze een gedempt gebonk, zwaar en diep, zoals het pulseren van een hart.

'We moeten ze tegenhouden!' schreeuwde Geronimo.

Angela trok haar helm van de bagagedrager, zette hem op en trok het vizier naar beneden. Door de glans en ronde vorm zag ze eruit als een reusachtige horzel. Ook Karen zette haar helm op. Angela had de gashendel al gepakt en zei rustig en beheerst: 'Hou je stevig vast.'

Ze schakelde in de eerste versnelling en reed langzaam over gruis en keien. Toen het terrein egaler werd, voerde Angela brutaal de snelheid op. Door een schok knalde Karen met haar hoofd tegen Angela's rug. De helm dempte de klap. Karen hervond meteen haar evenwicht. Ze voelde het getril van de motor toen Angela harder ging rijden en naar de derde versnelling overschakelde. Door het vuile vizier van haar helm zag ze Powder galopperend achter hen aan komen. Vergeleken bij de snelheid van de motor leek hij niet echt snel vooruit te komen.

De kudde was plotseling zo dichtbij, dat Karen dacht dat ze er middenin terecht zouden komen. Instinctief trok ze haar hoofd in voor de klap. Met wapperende manen stormden de mustangs voorwaarts. In het roodgele zonlicht leken hun door stof en zweet bedekte lichamen onderdeel van de woestijn. Alsof iemand ze uit klei geboetseerd had. Vooraan galoppeerde met grote, soepele stappen een koperkleurige hengst die alle andere in kracht en schoonheid overtrof. Zijn golvende manen fonkelden alsof ze van fijn goudwerk waren. De mustangs waren klein, potig en nerveus. Deze hengst had echter de edele trots van een volbloed.

De paarden krioelden chaotisch en aarzelend door elkaar. Ze hadden het monster met de gele kop opgemerkt dat met veel lawaai op hen afkwam. De hengst die de leiding had, wilde stoppen, maar de groep mustangs die achter hem aankwam, dwong hem verder te galopperen. Met een geweldige sprong veranderde hij van richting. Op dat moment zag Karen dat hij maar één oog had. Op de plek van zijn andere oog zat een pikzwart litteken dat op een inktvlek leek.

In de algehele verwarring viel de kudde uiteen in twee delen. De ene groep volgde de leider, het andere deel bestond uit doelloos rondrennende paarden.

Even snel als de eenogige hengst had Angela met de motor een scherpe bocht gemaakt om de paarden de weg af te snijden. Buiten adem klampte Karen zich vast aan haar vriendin. Ze hapte naar lucht. Over haar gezicht en nek liepen dikke zweetdruppels. Geronimo en Larry kwamen zo snel ze konden hun kant op gereden. Karen onderdrukte een grijns. Al spanden de mustangs zich nog zo in, de Yamaha was altijd sneller dan een edel ros.

De motor reed cirkelend rond de beide groepen vluchtende paarden om ze in een kleinere kring samen te drijven. Het leek alsof de verschrikte paarden zich in alle richtingen wilden verspreiden. Opnieuw bestudeerde Karen de hengst. Op de plek van zijn enige oog flikkerde een gevaarlijke, roodachtige vonk. Uit zijn gehinnik bleek dat hij al zijn krachten verzamelde en klaar was om de strijd aan te gaan. Angela reageerde op die dreiging, draaide en gaf vol gas. Het lawaai van de cirkelende motor echode heen en weer door de smalle dalkom.

Plotseling steigerde de hengst. Hij stond rechtop op zijn achterbenen. Zijn spitse hoeven maalden door de lucht. Daarna viel hij zo hard met zijn voorbenen op de grond terug dat de aarde beefde. Hij maakte een bocht en sprong in de richting waaruit hij gekomen was. De kudde volgde hem in galop. De motor knalde en knetterde terwijl de mustangs er met dreunende hoeven vandoor gingen. Angela nam snelheid terug om ze een voorsprong te geven. Toen de paarden voelden dat ze niet meer achtervolgd werden, bleven ze staan in de schaduw van een bergwand die roze schitterde in het zonlicht.

Angela trapte op de voetrem. De motor kwam tot stilstand. Ze zette haar voeten op de grond en nam haar helm af. Haar gezicht glom van het zweet. Karen deed ook haar helm af en ademde opgelucht de frisse lucht in. De plotselinge stilte deed na al het lawaai onwerkelijk aan.

'Poe, ik stik met dat zware ding op mijn kop.' Het vizier zat onder het stof. Karen spuugde op het plexiglas en veegde het schoon.

De beide jongens haalden hen bij. Geel zand bedekte hun kleding en plakte als een korst op hun gezicht.

'Geweldig, Angela!' riep Geronimo.

Larry hoestte, spuugde en snoot zo luidruchtig zijn neus dat het een trompetstoot leek. 'Wat een karwei. Hebben jullie die eenogige hengst gezien? Wat een waanzinnig imposant dier!'

'Die hengst is geen mustang,' zei Geronimo. 'Het is een renpaard, waarschijnlijk weggelopen uit een stoeterij. Als zo'n dier zijn vrijheid terugkrijgt en de leider van een kudde wordt, dan is hij even gevaarlijk als een wolf.'

Staand in de stijgbeugels observeerde de jonge indiaan de mustangs. De angstige paarden bleven voor de rotswand in een dicht opeengedrongen groepje staan. Af en toe maakte de eenogige zich los uit de kudde, trippelde nerveus in een cirkeltje rond en mengde zich vervolgens weer onder de andere paarden.

'Hij ruikt water,' merkt Geronimo op. 'Hij zal alles doen om zijn kudde terug te brengen naar de Kiowa Creek. Angela, je moet met vol gas op de meute afrijden en ze voorgoed uit deze omgeving verjagen.'

Angela keek bezorgd in de richting van de Mesa Verde. 'Als hun verkenner de dieren gezien heeft, hebben we al snel de landrover van de Jacksons achter ons aan.'

Larry zette zijn schoongepoetste bril weer op zijn neus. 'Dat is zo. Maar we kunnen proberen om ze op te houden.'

'Ophouden? Hoe bedoel je?'

Larry stopte zijn zakdoek in zijn broekzak en grijnsde onschuldig. 'Dat is voor mij toch geen probleem. Ze kennen me. Ze weten dat ik de zoon van de burgemeester ben. Ik rij op Powder naar ze toe en zeg tegen ze dat ik de mustangs bij de snelweg gezien heb. Als ze erin trappen, stel ik ze voor om ze erheen te brengen. Happen ze niet, nou pech gehad. Dan hebben we nog altijd een paar minuten gewonnen.'

'En ik? Welke indruk zou ik op hen maken met de dolk van mijn opa aan mijn gordel?' spotte Geronimo. 'Denk je nou echt dat ze onze kletspraat zullen slikken?'

'Jij, beste roodhuid, blijft natuurlijk hier met ons zwarthuidje. Ik ga met bleekgezicht Karen.' Larry proestte van het lachen. 'We spelen een liefdespaartje, romantisch met zijn tweeën op stap.'

'Jij bent een van die mensen met een veel te grote verbeelding,' sputterde Karen.

Geronimo keek Angela aan, die op haar onderlip beet en uiteindelijk zei: 'Waarom niet?'

Beiden sprongen op de grond. Karen klom op Powder, terwijl Geronimo achter op de motor ging zitten. Met opgetrokken neus bestudeerde hij Karens helm: 'Je hebt erop gespuugd, viezerd!'

'Ach man, stel je niet aan. Veeg dat ding schoon met je shirt,' antwoordde Karen koel.

'Waar komen we weer bij elkaar?' vroeg Larry.

Geronimo wees op een rots die als een afgeknotte kegel boven de horizon leek te zweven. 'Zie je die berg daar? Die noemen ze de "Koehoorn". Daar kunnen we het beste overnachten. Althans als het ons lukt om de kudde hier weg te krijgen.' Hij tikte Angela, die haar helm opzette, op haar schouder en riep: 'Rijden. Het is de hoogste tijd.'

Ze draaide aan de gashendel, trapte energiek op de starter en weg sprong de motor. Opnieuw renden de paarden opgewonden door elkaar.

'Niet echt leuk, dat baantje,' zuchtte Karen. 'De mustangs zijn koppiger dan een kudde muildieren.' Larry was het met haar eens. Hij draaide Powder en reed in de richting van de Mesa Verde. Aanvankelijk spartelde de vos tegen en kwam nauwelijks vooruit. Larry trok de teugel aan en bleef onverstoorbaar. Powder ontspande langzaam en legde zich neer bij de wensen van de ruiter.

'Jezusmina!' riep Karen verrast uit. 'Ik wist helemaal niet dat jij zo goed kon rijden.'

'Ik word aan de lopende band door iedereen onderschat,' antwoordde Larry droog. Zonder verder uit te weiden stapte hij over op motorfietstaal: 'Hou je vast, poppie. Ik schakel over in de derde versnelling!'

Zijn knieën groeven zich in Powders flanken en de vos begon met gelijkmatige, grote sprongen te galopperen. De warme wind streek langs Larry's hoofd, zijn bril zat onder het zand. 'Die vervloekte bijziendheid. Heb jij ooit een cowboy met een bril gezien?' Het beeld dat Larry van zichzelf had, een held natuurlijk, was niet in overeenstemming met zijn verschijning en daar kon de afbeelding van Tarzan op zijn T-shirt niets aan veranderen. Niet moeilijk doen, dacht hij bij zichzelf. Ik zal haar eens laten zien wat ik allemaal kan.

Wit schuim glinsterde in Powders neusgaten toen Karen in de verte een stofwolk zag. Ze porde Larry in zijn rug en wees over zijn schouder met een uitgestoken vinger: 'Kijk daar, daar is de landrover!'

Larry sloot zijn ogen. Hij zag natuurlijk niets, maar stuurde zijn paard in de richting die Karen aangaf. Eindelijk zag hij de auto die als een grote grijze kever over de keien hobbelde. Toen de landrover dichterbij kwam, herkenden ze Terry Jackson die aan het stuur zat. Naast hem zat zijn jongere broer Dane.

'Hé!' riep Terry en stak zijn kop uit het opengedraaide raampje. 'Wat zoeken jullie hier?' Terry was een jaar of negentien, bruinverbrand, met haren op zijn borst. Zijn grijsblauwe, iets uitpuilende ogen maakten een onaangenaam starre indruk. Hij droeg een breedgerande cowboyhoed en kauwde op een sigarettenpeukje.

'Hé, hallo mijnheer Jackson,' riep Larry opgewekt. 'Hoe gaat het met u?'

Terry, die de auto tot stilstand gebracht had, liet het peukje van zijn ene mondhoek naar de andere rollen. Hij leek tamelijk overdonderd dat hij met mijnheer werd aangesproken. Over het algemeen zijn tieners van een jaar of vijftien niet zo beleefd. Hij stak zijn hoofd uit het raampje en vroeg: 'Jij bent de jonge Coleman, niet? De zoon van de burgemeester?'

'Dat ben ik, mijnheer. Ik heet Larry en dit is Karen. We trekken een beetje door de omgeving. Vrije dag, u weet wel.'

Terry kneep veelzeggend één oog dicht. 'Zo, zo. Jullie zwerven door de omgeving.' Hij deed zijn best om een vriendelijke indruk te maken, wat hem maar half lukte. Zijn blik bleef wantrouwig en hard. Met zijn door nicotine bruin gekleurde vingertoppen trommelde hij nerveus op het stuur.

'Aan de andere kant van de Mesa Verde hebben we een kudde mustangs gezien,' kletste Larry doodleuk verder. 'Het waren er minstens vijftig.'

'Mustangs?' Terry keek heel even zijn broer aan, die de deur opende en uit de auto sprong. 'Waar hebben jullie die kudde gezien?'

Dane was slanker en leniger dan zijn oudere broer. Vanwege zijn gelijkmatige gelaatstrekken en grote blauwe ogen met lange wimpers vonden de meeste meisjes in Silver City hem aantrekkelijk. Karen niet. Als ze hem zag werd ze meteen zenuwachtig. Ze zweeg en liet Larry, die zich gedroeg als de vleesgeworden argeloosheid, rustig verder kletsen. Zoals hij zich van den domme kon houden, dat was werkelijk van grote klasse.

'Ze liepen oostelijk van de Mesa Verde, richting snelweg.'

Opnieuw keken Terry en zijn broer elkaar veelzeggend aan. Terry rolde de peuk met zijn lippen naar zijn andere mondhoek en schudde weifelend zijn hoofd. 'Onmogelijk. Nog nooit heeft iemand wilde mustangs in de buurt van de snelweg gezien.'

'Misschien hadden ze dorst,' merkte Larry onschuldig kijkend op.

'En de Kiowa Creek dan?' vroeg Terry. 'We hebben vannacht bij de Kiowa Creek gekampeerd. Er was genoeg water voor alle kuddes van heel Texas en omgeving.'

Larry duwde stijlvol zijn bril recht. Zijn naïeve gelaatsuitdrukking kreeg iets nadenkends. 'Jullie hebben bij de Kiowa Creek gekampeerd? Dan begrijp ik wel waarom de mustangs er niet wilden drinken. Ze hebben jullie geroken.'

Dane had niet veel zin om naar allerlei verklaringen te luisteren. 'En moet dat betekenen dat wij stinken?' vroeg hij voelbaar dreigend.

Terry gaf hem een teken om zijn mond te houden. Hij

wendde zich tot Larry en vroeg: 'Wat bedoel je daarmee?'

'Nou, mijnheer. U rookt,' reageerde Larry onverstoorbaar vriendelijk. 'Mustangs hebben een uiterst gevoelige reuk. Ze hebben vast en zeker jullie sigaretten geroken. Dat heeft hen bang gemaakt. Ze vertrouwden het niet meer. Maar als u de kudde wilt zien. We kunnen u erheen brengen.'

De broers Jackson twijfelden. Kennelijk vonden ze het verdacht.

'Volgens Bob heeft de kudde de nacht doorgebracht tussen de Mesa Verde en de Koehoorn,' merkte Dane op en krabde op zijn kop.

'Ja,' bromde Terry. 'Ik begrijp niet waar hij zit, die idioot. Hij is nu al meer dan drie uur weg.'

'Interesseren jullie je voor mustangs?' vroeg Larry naïef en superbeleefd.

Terry hakte onverwacht snel de knoop door. 'Je kunt je niet voorstellen hoezeer wij ons voor mustangs interesseren.'

Hij gaf zijn broer een teken. 'Oké, instappen.' Dane gehoorzaamde en Terry startte de wagen. Hortend kwam de landrover in beweging. Larry reed voorop. Hij liet de teugel loshangen, zodat Powder zelf zijn tempo kon bepalen. Na een tijdje was Terry het slakkengangetje beu, gaf een beetje gas en reed tot naast de ruiter.

'Hé, jochie, kun je niet eens een beetje haast maken?'

'Mijn paard is doodmoe,' antwoordde Larry. 'Moet u zien, het schuim staat op zijn mond.'

De auto zakte in gaten in het terrein en reed hobbelend en stuiterend over keien en stenen.

'Waar breng je ons eigenlijk heen?' vroeg Dane geïrriteerd. 'Daar beneden stikt het van de zandbanken.'

'De mustangs zijn deze kant opgegaan!' riep Larry. 'Kan jullie auto daar dan niet overheen?'

De landrover schommelde in wankel evenwicht over een bult. De banden slipten op de zandgrond. Vloekend schakelde Terry op achteruit om langs een flinke kei te kunnen rijden. Het sterk hellende terrein daalde af naar een kloof die begroeid was met doornige struiken en cactussen.

Razend stak Terry zijn hoofd uit het raampje en brulde: 'Je bent gek! Daar beneden zijn ze gegarandeerd niet.'

Larry hief hulpeloos zijn handen ten hemel. 'Kunt u niet verder, mijnheer Jackson?'

Terry vloekte en gaf gas. De landrover zocht zigzaggend zijn weg tussen de keien door.

'Moeten we u helpen met het weghalen van stenen?' vroeg Larry poeslief. Karen keek snel de andere kant op en kon met moeite een lachbui onderdrukken.

'Verdomme...' begon Terry. Hij onderbrak zichzelf, toen er uit de richting van de Mesa Verde een schot weerklonk.

'Dat is Bob!' riep Dane. 'Hij zoekt ons.' Hij sprong uit de auto, geweer in zijn hand, en schoot eenmaal in de lucht. Powder maakte van schrik een sprongetje.

Karen voelde het koude zweet over haar rug lopen. Dane haalde hijgend adem; hij zweette als een paard. Zijn grote laarzen groeven zich in het zand en hij zag er gevaarlijk uit.

Opnieuw klonken er van de kant van de Mesa Verde twee schoten.

'Dat betekent dat we terug moeten komen,' riep Terry. 'Wat doen we hier eigenlijk?' Hoogrood aangelopen van kwaadheid en kauwend op een sigarettenstompje startte hij de auto. Dane ging naast hem zitten. De banden knersten over de onverharde weg toen de landrover schokkend en slingerend de helling weer opkroop naar boven.

'Zeg,' fluisterde Karen in Larry's oor, 'is het geen tijd om op te krassen?'

Larry knikte. Hij vuurde Powder aan en manoeuvreerde hem tot naast het voertuig. 'Goodbye, mister. Het spijt ons zeer. We hadden u graag een dienst bewezen.'

'Dienst bewezen? Dienst bewezen? Nou zeg, die is goed,' mopperde Terry die kookte van woede. Hij ontplofte: 'Stomkop. Jij... Er zijn hier niet meer mustangs dan op de palm van mijn hand. Ik raad je aan zo snel mogelijk te verdwijnen. Als ik je ooit te pakken krijg, dan...'

Larry trok zich er niks van aan en grijnsde vriendelijk. Karen, die zich steeds ongemakkelijker begon te voelen, gaf hem een harde stomp in zijn rug. Larry wendde zijn paard en draafde weg, terwijl de landrover in de richting van de Mesa Verde reed.

'Je overdrijft behoorlijk,' zei Karen boos. 'Het drong langzaam tot ze door dat wij ze voor de gek hielden.'

'Ik heb mijn rol goed gespeeld of vond je van niet, dan?' reageerde Larry trots.

'Jij bent een volslagen idioot,' antwoordde Karen. 'Straks denken ze nog dat je altijd zo bent.'

Opeens gilde ze opgewonden: 'Ik zie de verkenner van de Jacksons. Daar, daarboven op de Mesa Verde.'

Op de platte top van de berg tekende zich tegen de lucht duidelijk een silhouet af.

'Ik... ik zie niks,' zei Larry en tuurde ingespannen door zijn stoffige brillenglazen.

'Hij moet de motor ontdekt hebben of sporen ervan,' zei Karen. 'Dat kan vervelend worden.'

'Voordat ze samen een plannetje hebben bedacht, hebben wij genoeg tijd gehad om te verdwijnen,' merkte Larry nuchter op om haar gerust te stellen. 'Vooruit maar! Erop los!!'

De avond viel. De zon gloeide als een rode vuurbal. De kleur van de bergen veranderde van blauw in roze en vervolgens in wazig groen. De schaduwen van de rotswanden op de grond werden groter. Karen en Larry waren blij dat het avond was. Door de duisternis waren de Jacksons gedwongen om de achtervolging van de mustangs te staken.

De zon raakte de horizon even en verdween snel achter de einder. De lucht werd paars en purper. Over de donkere helling van de Koehoorn breidde zich eerst een koraalrode sluier uit, die snel verbleekte en toen helemaal verdween. In de ongewoon heldere lucht kon Karen kilometers ver kijken, maar vrijwel meteen na zonsondergang was het landschap gehuld in de ondoorzichtige schemer van de nacht.

Powder was uitgeput en wankelde. Larry streek over de hals van het dier. Ondanks de avondkoelte baadde de vos in het zweet. 'We moeten even stoppen. Powder moet uitrusten.'

Karen keek over haar schouder. Ze kromp ineen en vloekte. Achter haar, nog ver weg, maar toch, priemden koplampen door de schemering.

Larry had het eveneens opgemerkt. 'De Jacksons volgen het spoor van de kudde. Ze rijden naar de Koehoorn. Ze weten nog niet dat wij de mustangs bij de Kiowa Creek weggejaagd hebben.' Hij drukte zijn knieën in de flanken van het hijgende paard: 'Nog even volhouden, Powder! Nog even en het is voorbij.' Door het oneffen terrein zagen ze het schijnsel van de koplampen even opduiken en dan weer verdwijnen. Op een gegeven moment had Karen het idee dat de landrover de achtervolging gestaakt had. Minutenlang zag ze geen enkel spoortje licht meer. Maar haar vreugde was van korte duur, want opnieuw boorde het gele licht van de twee koplampen door het duister. Toen Larry het paard stilhield en luisterde, hoorde hij duidelijk het snorren van de automotor. Langzaam spoorde hij het jonge paard weer tot een drafje aan. Powder rochelde en hijgde van vermoeidheid. Uit de klank van de hoeven maakten ze op dat de aard van de bodem veranderde. Zand maakte plaats voor stenen en keien.

'Nu kunnen ze de sporen niet meer zien,' riep Larry. 'Ze zullen noodgedwongen moeten stoppen.'

Nog even was het licht van de koplampen te zien tussen de granietblokken, totdat een rotswand het zicht wegnam. Er hing nog heel even een matte glans die snel in de duisternis oploste.

Larry liet zijn rijdier nog eens stilhouden en luisterde: doodse stilte. Larry zuchtte van opluchting en wreef zijn vochtige handen droog aan zijn broek. 'Zo. Die zitten tot morgenvroeg vast.'

Opeens voelde Karen zich doodmoe en lusteloos. Ze sloeg haar armen om Larry heen zodat ze niet uit het zadel kon vallen. Pas nu merkte ze dat ze in haar dunne bloes bibberde van de kou. Oma had gelijk: de nachten in de woestijn waren ijskoud.

Angst snoerde haar de keel. Wat nu als Geronimo en Angela niet op de afgesproken plaats waren? Wat als Larry zich in het donker vergist had? Hij was toch al zo bijziend. 'Weet je zeker dat we op de goede weg zijn?' vroeg ze bezorgd.

'Buig maar naar voren,' reageerde Larry en liet zich iets opzij zakken.

Karen zag dat hij de teugel aan de zadelknop gehangen had en met losse handen reed. Met gestrekte hals, de oren gespitst, stapte Powder met gelijkmatige passen voorwaarts.

'Hij weet precies waar hij heen wil,' zei Larry tevreden glimlachend.

De heuvel die ze hadden beklommen, daalde daarna verder af naar een groot keteldal. Overal zagen ze, zelfs in het donker, de contouren van vervormde, verdorde bomen en verdroogde struiken. De roze gloed van een vuur verlichtte de nacht. Door de flanken van Powder ging een opgewonden trilling en hij hinnikte onverwacht. Powder draafde de helling af in de richting van het vuur.

'Hallo!' Het was onmiskenbaar de stem van de jonge indiaan. 'We maakten ons al zorgen.' Geronimo's silhouet tekende zich af tegen het vuurschijnsel alsof het met een schaar was uitgeknipt. Zijn poncho hing los over zijn schouders. Powder liep in een drafje naar hem toe, vleide als een aanhankelijke hond zijn hoofd tegen Geronimo's arm en liet een blij gesnuif horen.

'Braaf beest. Je bent uitgeput,' mompelde Geronimo bezorgd en streek over de natte vacht van het paard, terwijl Karen en Larry met stijve knieën uit het zadel gleden. Botten, gewrichten en spieren deden pijn van de lange rit. Ze hadden het gevoel dat ze onder een bulldozer gelegen hadden. Kreunend en klagend gingen ze bij het vuur zitten.

'Koffie?' vroeg Angela en tilde een gebutste ketel op.

Ze vulde twee plastic bekers en reikte ze over de vlammen aan. In het halfduister glom haar huid als goud. Ze had haar laarzen uitgetrokken en haar helm weggelegd. De rode glans van het vuur weerspiegelde in het chroom van de motor.

'Waar zijn de mustangs?' vroeg Karen toen ze eindelijk weer een woord kon uitbrengen, hoewel ze nog zo bibberde van de kou dat ze koffie knoeide en een vinger verbrandde.

'Aan de andere kant van de kloof,' antwoordde Geronimo, die bezig was om Powder van zijn zadel en hoofdstel te verlossen. 'Ze hebben het ons wel moeilijk gemaakt. Stel je voor. De eenogige hengst heeft de motor aangevallen. Als een wild dier stortte hij zich met ontblote tanden op ons. Angela moest slingerend tussen de keien door racen om hem af te schudden. Een echt circusnummer. En hoe is het jullie vergaan?'

Terwijl Larry en Karen verslag deden van hun belevenissen, wreef Geronimo Powder droog met een deken en gaf hem zorgzaam een paar handen haver. Angela deed wat vet in de pan om eieren met spek te bakken. Karen deelde brood en bananen rond. Na het avondeten hielden ze opgefrist en versterkt krijgsraad.

'Morgen, in de loop van de middag, steken we de grens over,' zei Geronimo, 'althans als de Eenogige ons nog niet met huid en haar verslonden heeft.'

'En als de Jacksons ons nog niet doorzeefd hebben met die kogels van hen,' voegde Larry eraan toe. 'Ik krijg er koude rillingen van als ik aan die geweren denk.'

'We hebben een flinke voorsprong, maar de landrover zal ons snel inhalen,' merkte Karen op.

'Dat is zo,' mompelde Geronimo. 'Dus...' In gedachten verzonken pakte hij de dolk die hij gebruikte voor zijn houtsnijwerk.

Karen vroeg schertsend: 'Ben je van plan de Jacksons daarmee om te leggen?'

'Je bent niet goed snik,' antwoordde Geronimo. 'Dat is echt zo simpel niet als jij je het voorstelt. Ik heb een heel ander plannetje. We moeten de banden van hun auto lek prikken!'

In de gloed van het vuurtje floot Angela enthousiast. 'Bravo, grote zoon van het machtige opperhoofd!'

'Ik doe het alleen,' vervolgde Geronimo. 'De Jacksons hebben geen reden om wantrouwig te zijn. Ze slapen gegarandeerd als schattige marmotjes.'

'Alleen?' vroeg Larry. 'En wat dan als je iets overkomt?'

'Wat kan er nou gebeuren?' Geronimo haalde zijn schouders op. 'Heb je nog nooit een western gezien? Het besluipen van het kamp van de vijand is altijd een specialiteit geweest van indianen.'

'Oké,' zei Karen. 'Alleen het krijgsgehuil ontbreekt nog. Maar ik hoop in je eigen belang dat je je mond dicht weet te houden.'

Hoe uitgeput ze ook was, Karen was er zeker van dat ze deze nacht geen oog dicht zou doen. Ze ritste de sluiting van haar anorak tot aan haar hals dicht, trok de capuchon tot aan haar oren naar beneden en kroop onder de deken die ze met Angela deelde. Natuurlijk had Angela ook recht op een stuk van de deken en dus trok Karen een tijdje aan het ene eind en Angela aan het andere. Na een minuut of vijf trok Angela niet meer aan de deken. Ze was tijdelijk naar de eeuwige jachtvelden vertrokken en sliep even vredig en ontspannen als in haar bedje thuis. Karen zuchtte en woelde onrustig heen en weer. De kou drong door de dunne deken heen. Haar voeten leken wel ijsklompen.

In deze donkere, maanloze nacht was de hemel bezaaid met duizenden sterren. Soms werd de stilte doorbroken door een schor gehinnik – de kudde mustangs overnachtte niet ver van hun kamp. Elke keer als een mustang hinnikte, trilde Powder nerveus en trappelde onrustig met zijn hoeven op de grond.

Ook Larry was al in slaap gevallen, opgerold als een kluwen wol en zijn bril nog in zijn hand. Hij snurkte, mogelijk had hij poliepen. Karen sloot haar ogen: ze rook salie en verbrand hout. De takjes die Geronimo behendig op het vuur legde, knetterden. Karen begon rustiger adem te halen, ontspande zich en viel alsnog in slaap.

Geronimo zat met zijn rug tegen het zadel bij het vuur. Om niet in slaap te vallen nam hij af en toe een slok koffie. Door de stille nacht klonk in de verte het langgerekte gehuil van prairiehonden. Geronimo hield zijn horloge vlak voor zijn ogen. Middernacht. Tijd om de strijdbijl op te graven.

Hij zag evenveel als in een onverlichte kolenmijn, maar Geronimo had geen licht nodig om de weg te vinden. De rotsblokken en vage contouren van de bergen wezen hem de weg. Zijn instinct deed de rest. Het was onwerkelijk om alleen in het duister door de bergen te lopen. Er waren wel nachtdieren, maar Geronimo had het gevoel dat hij het enige levende wezen op aarde was. En dat vond hij niet eens een onaangename gedachte. Minutenlang zag hij aan de hemel een streep licht die naar het oneindige schoot. Een vallende ster! Snel een wens doen, dacht Geronimo. 'Ik wens dat ik de vier wielen van de landrover lek kan prikken zonder dat ik betrapt word.'

Hij volgde een tijdlang het onverharde pad en boog toen over een steile, gladde helling af in de richting van een kloof waarin de hitte van de dag als een zwoele waas was blijven hangen. Voor zich zag hij de vage schaduw van een kangoeroerat over de keien glijden. Iets verder in de kloof tekende zich een opvallende verhoging af. Geronimo daalde oplettend de helling af. Met zijn basketbalschoenen kon hij geruisloos over het gesteente lopen. Toen hij in de kloof kwam, zag hij in de verte op de grond een zwak, roodachtig schijnsel. Uit voorzorg trok hij zijn poncho uit. De franjes konden zich tijdens het lopen om zijn benen draaien en dan zou hij kunnen struikelen. Hij rolde het ding op en schoof het onder een vooruitstekend rotsblok, waar hij het op de terugweg weer op zou halen.

Het roodachtige schijnsel bleek een halfverkoold vuurtje te zijn dat in het nachtelijk duister nagloeide. Toen hij dichterbij kwam zag Geronimo de zwarte massa van de auto die vaag afstak tegen de donkere achtergrond van de rotsen. Bij de vuurplaats lagen twee in dekens gerolde gestalten. Het moesten de Jacksons zijn. Ze hadden dus geen tent opgezet en dat betekende dat ze voor het ochtendgloren wilden vertrekken.

Geronimo trok vragend zijn wenkbrauwen op. Waar was die verkenner gebleven? De jongen bleek op enige afstand van de anderen een slaapplaats gezocht te hebben. Dat was gevaarlijk. In het donker kon Geronimo onverwachts struikelen over een van de slapenden. Het was beter geweest als ze dicht bij elkaar gelegen hadden.

Voorzichtig kroop hij vooruit. Zijn voet stootte tegen een losse steen, die met veel geruis over de helling rolde. Geronimo ging instinctief op de grond liggen en hield zijn adem in. Bij het vuur bewoog zich niets. Hij gleed verder en kwam uit bij de achterkant van de landrover, trok de dolk uit zijn foedraal en ging aan het werk. In het begin schoot hij niks op. De band bood veel weerstand tegen zijn mes. Na een tijdje lukte het hem om in het harde rubber een gat te maken door de greep als een schroevendraaier rond te draaien. Terugdraaiend maakte hij het gat groter. De dolk plakte in zijn bezwete handen. Hij trok voorzichtig het lemmet terug, bracht zijn oor naar de band en hoorde duidelijk een zacht gesis.

Hij grijnsde tevreden. Nu de volgende band. Hij kroop op handen en voeten een stukje verder. Een harde klap – Geronimo deinsde geschrokken achteruit. Een jerrycan met water of benzine, die hij in het donker niet gezien had, was omgevallen met een kabaal dat heel Texas wakker kon maken.

'Mijn God, wat is er aan de hand?' riep iemand kwaad en slaperig.

In paniek spurtte Geronimo naar de hoge rotsblokken. Hij rende blindelings door het donker en kon elk moment zijn nek breken. Zijn hart bonsde zo heftig, dat het pijn deed.

In het kamp hoorde hij vage stemmen en opgewonden kreten. Plotseling schoten er gele lichtbundels door de donkere nacht. De Jacksons hadden de koplampen aangestoken. Als ze maar niet nu al die lek gestoken band opmerkten, dacht Geronimo vertwijfeld. Hijgend rende hij verder en vervloekte zijn pech. Toen hij vond dat hij ver genoeg was van het kamp, bleef hij staan en leunde tegen een rots om weer op adem te komen.

Weer was het volkomen donker. De Jacksons hadden de lampen gedoofd, waarschijnlijk dachten ze dat de jerrycan door een dier was omgestoten. Godzijdank waren ze kennelijk niet op het idee gekomen om de banden aan een nader onderzoek te onderwerpen.

Geronimo tikte tegen zijn voorhoofd. Door de paniek had hij zijn poncho vergeten op te halen. Het was onmogelijk om in het donker de plek terug te vinden waar hij hem had achtergelaten. En bovendien wilde hij niet meer in de buurt van het kamp van de vijand komen. Morgen zouden de Jacksons ongetwijfeld zijn poncho vinden. Een aardig cadeautje.

'Het spijt me erg, overgrootvader,' mompelde Geronimo sip. 'Ik ben het niet waard om uw nazaat te zijn.' Met slappe benen en knikkende knieën begon hij aan de terugweg.

Zondagochtend

Een doorzichtig, glasachtig licht breidde zich uit over de horizon. In de ochtendschemer floot een vogel.

Geronimo hurkte bij het kampvuur en blies de as aan. Hij vulde de ketel met water en zette hem in de gloeiende as. Toen het water kookte deed hij er enkele lepels instantkoffie en wat suiker bij. Hij proefde en trok een vies gezicht. De koffie smaakte naar rook. Hij boog zich over de slapenden en schudde ze een voor een wakker. 'Opstaan! Het ontbijt is klaar.'

'Oooo,' kreunde Larry, wrijvend over zijn rug. Hij grabbelde verwezen naar zijn bril, zette hem op zijn neus en stamelde slaperig: 'Het is nog nacht.'

'De dag breekt aan,' antwoordde Geronimo. 'Komaan, opstaan.'

Karen richtte zich moeizaam op. Haar lichaam was stijf en ze had het koud tot op haar botten. 'Ik bevries,' klaagde ze. 'Ik denk dat ik reuma opgelopen heb.'

'Drink je koffie op,' zei Geronimo, 'daar krijg je het wat warmer van.'

'Angela! Hé, Angela!' riep Karen.

Haar vriendin opende haar ogen, sloeg de deken weg en wendde zich, meteen klaarwakker, tot Geronimo: 'Heb je wat bereikt?'

'O ja, hoe ging het vannacht?' vroeg Larry die krachtig met zijn armen sloeg als remedie tegen zijn stramheid.

'Veel pech,' antwoordde de jonge indiaan verlegen. Hij vertelde over zijn tegenslag. Angela zat op de grond aan haar laarzen te wriemelen. 'Dat heb je toch goed gedaan,' zei ze. 'Er is een band kapot en dat was de bedoeling. Het zal ze tijd kosten om hem te verwisselen.'

Ze dronken koffie en namen een paar koekjes. Geronimo gaf Powder een portie haver en wat water.

In het saffierblauwe licht van de hemel verbleekten de sterren langzaam.

Ze zochten hun spullen bij elkaar en verspreidden de as van het vuurtje. Terwijl Geronimo de vos zadelde, onderzocht Angela nauwgezet haar motor.

'Alles in orde?' vroeg Karen.

'De banden zijn wat zacht, maar ik heb nu geen tijd om me daar druk over te maken.'

De meisjes zetten hun helmen op. Met een lichte klik klapte Angela de steun in. Met de ene hand aan het stuur en de andere aan het zadel duwde ze de Yamaha naar het onverharde pad. Ze klommen op de motor, Angela draaide het contactsleuteltje om en trapte krachtig op de starter. De motor ronkte met een gedempt geklop en trilde heftig. Met haar rechterhand gaf ze gas en schakelde tegelijkertijd. De zware motor kwam langzaam in beweging.

Geronimo stak zijn voet in de stijgbeugel en zwaaide zich in het zadel. Hij stak zijn hand uit naar Larry om hem bij het opstappen te helpen.

Enkele bergtoppen waren al rood gekleurd. Een adelaar schoot uit de rotsen op en steeg met zware vleugelslag naar grote hoogte. Hoog in de lucht draaide hij majesteitelijk rondjes boven de bocht in de bergwand waar de mustangs, beschut tegen de wind, de nacht hadden doorgebracht. Een smal stroompje slingerde als een glinsterende draad door het grind.

De motor reed licht stuiterend over het hobbelige terrein, zigzaggend rond keien en rotsblokken. Toen het lawaai van de motor de gevoelige oren van de paarden bereikte, ging er een schok door de kudde. De eenogige hengst hief zijn hoofd. Zijn neusgaten verwijdden zich, dan volgde een gedempt gehinnik en zette hij zijn hoeven strijdvaardig schrap. Hoog opgericht draaide hij opzij en galoppeerde weg. De kudde volgde haar leider. Stofwolken dwarrelden op.

De hemel kleurde goudgeel. Tegen de helling van de Koehoorn hingen golvende nevelslierten. Aan de horizon gleden donzen wolkjes voorbij, terwijl de zon langzaam opkwam. In het zachtgele licht, bezaaid met glinsterende stofkorreltjes, leken de mustangs tussen hemel en aarde te zweven.

De kudde rende over een troosteloze, kale en stenige

hoogvlakte. Geronimo wist dat er hierna nog een hindernis op hen wachtte: de smalle, bochtige weg die van hoog tussen de rotsen naar het dal leidde. Pas daarna lag de wijde vlakte naar de grenspost voor hen open. Het moest ongeveer daar zijn waar de snelweg naar El Paso liep.

De zon kwam nu snel boven de kim uit. Nevel bedekte de hemel. Op de hoogvlakte was het al drukkend warm. Geronimo liet Powder draven om zijn krachten te sparen. De door de motor opgejaagde kudde galoppeerde alsmaar verder. Tot nu toe was alles goed gegaan, dacht Geronimo. Hopelijk zou het zo blijven. Zoals alle wilde dieren waren ook de mustangs onberekenbaar. De kudde kon een tijdje braaf in dezelfde richting galopperen en plotseling, zonder enige reden, met wilde sprongen en getrappel van hoeven uit elkaar stuiven. In het ochtendzonnetje lichtte de Koehoorn glad en ivoorkleurig op. De naam voor die berg was werkelijk goed gekozen. Er was in de verre omtrek geen stofwolk te zien. Waar waren in hemelsnaam de Jacksons? Ook als ze een uur nodig gehad hadden om de band te wisselen, dan moesten ze nu toch onderhand weer opduiken, overwoog Geronimo. Het kwam geen enkel moment in hem op dat de Jacksons een achtervolging zouden kunnen opgeven waarbij dollars op het spel stonden. Zoals Geronimo gevreesd had, vertraagde de kudde plotseling het tempo. Angela bracht de motor tot stilstand om op Powder te wachten. De meisjes zetten hun helmen af.

'Poe... wat een afschuwelijke hitte. We laten de mustangs maar even op adem komen.'

'Eigenlijk zijn wij het die even moeten uitblazen,' kreunde Karen en streek haar bezwete haar naar achter.

'Heeft iemand van jullie de landrover gezien?' vroeg Geronimo. 'Nee? Merkwaardig.'

Karen draaide de dop van haar veldfles los en ze namen alle vier een slok lauw water.

De hoogvlakte leek bedekt te worden door groffe korrels fonkelende as waarin de zon zich weerspiegelde. De kudde was iets verderop gestopt. De bezwete mustangs glommen alsof ze met olie ingewreven waren. Bij iedere beweging van de mustangs waren de soepele spieren onder hun vacht te zien. Veel paarden hadden in hun hals en op hun flanken littekens, overgehouden aan de meedogenloze gevechten die ze in de paartijd met elkaar voerden.

'Ze zijn prachtig!' riep Larry verrukt.

Geronimo knikte. 'Ja. Ze horen bij de woestijn zoals zonsondergang, de geur van salie en de stortbeken van gesmolten sneeuw. Ze verenigen de hele schoonheid van de natuur in zich.'

Zo dichterlijk gevoelig was hij gewoonlijk pas na twee uur rockmuziek en een liter cola. Niemand voelde enige aandrang om een opmerking te maken. Zwijgend draaide Karen de dop op haar veldfles. Ze zou nu graag geweten hebben of het oma gelukt was om oom Phil bij de grenspost op de hoogte te stellen.

Angela klapte de steun uit en onderzocht de banden. Ze kwam met een twijfelende gelaatsuitdrukking weer overeind, zette haar helm op en zwaaide zich in het zadel.

'Daar gaan we weer.'

Vlak voor de mustangs gaf Angela gas en versnelde het tempo. Toen de eenogige hengst zich van de andere paarden losmaakte, ging er een trilling door de kudde als de wave in een vol stadion. Van dichtbij leek de Eenogige reusachtig groot. Zijn krachtige rug spande zich als een veer en met één krachtige sprong ging hij tot de aanval over.

Angela boog zich over het stuur. Achtervolgd door het paard beschreef ze een grote acht. De huid van de hengst stoomde. Zijn oren lagen plat tegen zijn hoofd. Hij had zijn lippen opgetrokken, zodat zijn sterke gele tanden ontbloot waren. In zijn oog fonkelde een roodachtig licht. Hij viel met onvoorstelbare snelheid aan. De Yamaha maakte weer een onverwachte wending. Karen zag de rotsen op zich af komen en hield haar adem in. De motor lag schuin in de bocht zoals op een racebaan. Onverwachts staakte de hengst de achtervolging. Hij vertraagde tot een rustige draf, schudde misnoegd met zijn manen, keerde zich om en galoppeerde terug naar de kudde. Het ochtendlicht trilde van de hitte. In de fonkelende nevel leken de mustangs door blauwachtig water te glijden.

Ronkend volgde de motor de kudde. Powder galoppeerde erachteraan, zo hard hij kon. Toen ze eindelijk bij het smalle gedeelte van de onverharde weg kwamen, brandde de zon al hoog aan de metaalachtige, glanzende hemel. Het smalle pad was de enige doorgang naar het dal. Aan beide kanten daalden de hellingen van de hoogvlakte steil in de diepte af.

Op het moment dat de kudde bij de smalle toegang tot het pad kwam, trapte Angela op de rem en schakelde terug naar de eerste versnelling. Met een enorm geraas stortte de kudde zich op het pad dat zich afwisselend verbreedde en versmalde. Angela reed rustig achter de kudde aan. Als luchtkussens pasten de dikke banden zich aan oneffenheden in het terrein aan. De Yamaha stuiterde op en neer alsof de motor op een onzichtbare golf meereed.

Op een uitstekende rots hadden ze vrij zicht over de eindeloze, glinsterende vlakte in de verte. Angela zette de motor af. De motor rolde vanzelf naar beneden in die eindeloze stilte waarin de weergalm van de paardenhoeven kletterde als hagelstenen. Lager, waar het terrein weer vlakker werd, nam de snelheid van de motor af. Angela zette de motor weer aan – door het onverwachte geknal leken de rotswanden te beven. De paarden renden in een grote stofwolk naar het dal beneden.

Eén dier bleef op het pad staan. Als één bonk samengebalde kracht maakte de eenogige hengst zich plotseling klaar voor de aanval. Door de schok waarmee Angela afremde, schoot Karen naar voren. Het reusachtige paard versperde het zicht. Onder zijn hoeven dwarrelde stof op. Zijn manen lekten als vlammen. Angela remde krachtig af en draaide tegelijkertijd scherp aan het stuur – even leek het alsof de motor zich van het pad losmaakte en in het ravijn zou storten, maar met een doffe klap landden de banden weer op de grond. Kiezelstenen spatten hoog op. Door haar koelbloedige, vermetele stuurbeheersing was het Angela gelukt om op letterlijk een haar afstand van de rand van het ravijn het razende dier te ontlopen. De hengst zelf leek van de aardbodem verdwenen. Opgewonden schudde Karen aan Angela's schouder. Het zwarte meisje remde en stopte.

'Het paard,' schreeuwde Karen. 'Waar is het paard?' Angela gebaarde dat ze het niet wist. Een stuk terug, hoger op het pad, waren Geronimo en Larry al van hun rijdier gesprongen en bogen zich over de rand van het ravijn. De beide meisjes keken elkaar even aan, duwden zittend de motor naar het midden van het pad, sprongen eraf en liepen naar de rand. Ze hoorden een schril gehinnik en het geluid van naar beneden kletterende stenen. Ademloos bogen Karen en Angela zich over de bergrand. Het weggegleden paard had een stenenregen veroorzaakt. Maar hij was niet helemaal naar beneden gevallen. Meegesleurd door de glijdende stenen en zijn eigen gewicht was de hengst een stuk lager in een kuil gevallen. Twee grote stenen omklemden als een tang zijn rechterachterhoef. Half gek van pijn en razernij probeerde hij zich te bevrijden.

Karen sloeg geschrokken een hand voor haar mond. Angela's volle wimpers dansten op en neer. Op haar voorhoofd glinsterden zweetdruppels. Ze riep hees: 'We moeten hem daar weghalen.'

'Dat doe ik!' riep Geronimo.

'Ben je gek,' protesteerde Larry opgewonden. 'Eén trap met zijn hoef en je schedel splijt doormidden als een walnoot.'

Geronimo beet op zijn lippen, zijn bruine gezicht was bleek geworden. Alle drie begrepen ze dat zijn besluit vaststond en ze wisten dat hij er de moed voor had en dat hij het kon. 'Angela, rij met Karen snel verder. Jullie moeten de kudde over de grens drijven.'

Karen kreeg weer vat op de situatie. 'Jullie hier alleen laten? Dat meen je toch niet?'

Geronimo gooide zijn lange, vol stof zittende haren over zijn schouder en riep: 'Anders hebben we alles voor niks gedaan. De Jacksons kunnen hier elk moment opduiken.'

De rimpels op Angela's voorhoofd illustreerden haar aarzeling. Toen riep ze vastbesloten: 'Oké dan. Karen, komaan!'

'Maar...'

'Komaan!' Met grote passen liep ze terug naar de motor. Karen volgde.

'Pas op,' riep Geronimo hen na. 'Daarginds is een arroyo. Het zal moeilijk zijn om erdoorheen te komen.'

Angela bleef even staan en riep: 'Een wat?'

'Een arroyo. Een droge rivierbedding,' gilde Geronimo met zijn handen als een trechter voor zijn mond. 'Pas op dat jullie niet in het zand blijven steken.'

Angela stak haar hand op ten teken dat ze het begrepen had. Karen was uitgeput en stond op het punt om in te storten. Maar Geronimo had gelijk: het enige waaraan ze nu moesten denken, was de kudde. Zonder een spier te vertrekken zette Angela beheerst en rustig haar motorhelm op. Ook Karen zette haar helm op en stapte op de motor. Angela reed langzaam weg, haar voet op de rempedaal. Toen Karen over haar schouder achteromkeek, zag ze nog alleen maar rotsen. Ze zuchtte diep en hield zich stevig aan het zadel vast. In de verte voor hen stormde de kudde over de vlakte.

Larry had in de tussentijd de hengst geen seconde uit het oog verloren. 'Hij wordt gek van de pijn. Wat wil je doen?'

'Geen probleem, ik heb al een ideetje,' antwoordde Geronimo, die zijn stem zo beheerst mogelijk probeerde te laten klinken. Hij liet zich over de rand van het onverharde pad glijden en daalde voorzichtig over het gesteente af. Zijn knieën trilden, zijn hart bonsde in zijn keel, maar hij probeerde zijn angst te beheersen. 'Ik moet hem helpen. Ik kan hem niet in die val laten zitten. Ik moet helpen, hoe moeilijk het ook is.'

Gelukkig bleek de hengst zijn been niet gebroken te hebben. Voor een wild paard betekende een gebroken been een zekere dood, want dan kon het niet meer bij de afgelegen weiden en drinkplaatsen komen.

De hengst had de jonge indiaan opgemerkt. Hij hinnikte luid, en het leek bijna op het geblaas van een wilde kat. Zweet liep in kleverige straaltjes over zijn flanken. Hij probeerde omhoog te komen en zijn geklemde been los te trekken, maar zijn hoeven gleden steeds weg in het losse gesteente.

Geronimo ging op enige afstand van de hengst op zijn hurken zitten. Hij stak twee vingers in zijn mondhoek en floot kort en schel. De hengst trilde en spitste zijn oren. Geronimo floot nog een keer, ditmaal wat zachter en melodieuzer. Het paard hield op met trillen. Het bleef doodstil op zijn plek en leek een standbeeld geboetseerd van klei. Zijn roodachtige oog fonkelde als een purperrode bloem in de zon.

Geronimo gleed voorzichtig over de stenen. Behoedzaam ging hij op het dier af. 'Niet bang zijn,' fluisterde hij. 'Ik doe je niets. Ik kom je alleen maar bevrijden.'

Larry zorgde ervoor dat Powder op het pad bleef en keek opgewonden toe hoe zijn vriend langzaam binnen het bereik van de gevaarlijke hoeven kwam. De jonge indiaan maakte met zijn lippen zachte, melodieuze klanken als een fluit. Opeens trilde de hengst en trapte opzij. Larry kromp ineen. Zijn vingers omklemden nerveus Powders teugel.

Geronimo bewoog zich niet, maar bleef zachtjes melodieus fluiten. Half glijdend, half kruipend kwam hij dichter bij de keien waartussen de hoef van de hengst vastgeklemd zat. Hij omvatte met beide armen de kleinste van de twee stenen om hem opzij te rollen of te schuiven. Wanhopig duwde hij er met zijn hele gewicht tegen. Zweet stroomde uit alle poriën van zijn huid. Het lukte niet om die vervloekte steen ook maar een millimeter te bewegen. Zijn blik bleef opeens rusten op een tak, die waarschijnlijk in de regentijd door een stortbeek was meegesleurd en nu tussen het gesteente verdorde. Als hij deze tak nou eens als hevel zou kunnen gebruiken. Maar hij durfde zich niet te verplaatsen. De hengst zou van de kleinste, geringste beweging kunnen schrikken en dat zou hem opnieuw razend maken. Geronimo keek smekend om hulp naar Larry. Hoe kon hij hem duidelijk maken wat hij nodig had? Om de hengst niet argwanend te maken bleef hij rustig, melodieus fluiten en gaf intussen Larry met zijn hoofd een teken. Larry begreep dat zijn hulp vereist was. Hij handelde meteen, legde de teugel van Powder om een rotspunt en gleed voorzichtig over de helling naar beneden.

'Die tak,' fluisterde Geronimo. 'Daar beneden.'

Larry trok zijn wenkbrauwen op en kroop langzaam om de hengst heen naar de tak en tilde hem op. Met dezelfde uiterlijke rust klom hij terug omhoog, maar van binnen waren zijn zenuwen tot het uiterste gespannen. Het kleinste steentje dat onder zijn voeten wegrolde leek in hem te weergalmen.

Het paard had zich niet bewogen. Hier en daar vertrok het een spier onder zijn met zweet bedekte huid. Eindelijk was Larry dicht genoeg bij de jonge indiaan om hem de tak te geven. Geronimo bukte zich, veegde wat steengruis weg en klemde de tak onder de steen. Hij hield zijn adem in, spande zijn spieren en duwde met al zijn kracht op de tak. Het rotsblok draaide bijna onwaarneembaar een klein stukje, maar het was genoeg. Met een heftige ruk trok de hengst zijn hoef los. Met twee reusachtige sprongen vloog hij tegen de helling op. Boven zijn hoef fladderden bloederige stukjes afgescheurde huid.

Geronimo en Larry keken elkaar opgelucht aan.

'Hemeltjelief,' mompelde Larry. 'Ik had het gevoel dat ik bij een tijger in de kooi zat.'

'Ja,' gaf Geronimo toe, 'ik dacht dat hij ons tot moes zou stampen.'

Hijgend en wankelend klommen ze tegen de rotshelling op. De hengst stond op de onverharde weg. Hij haalde diep adem en keek hen met zijn vochtig glanzende oog aan – de rode vonk was verdwenen.

'Het lijkt alsof hij... alsof hij ons nu in zijn nabijheid duldt,' fluisterde Larry.

'Hij vertrouwt ons nu,' antwoordde Geronimo. 'Ik zal proberen of ik zijn wond kan verzorgen.' Hij opende zijn zadeltas en pakte de thermosfles, waarin nog wat water zat. Hij draaide de deksel los en gaf hem aan Larry die gulzig een slok nam. Nadat Geronimo gedronken had, keek hij om zich heen. 'We hebben een lap nodig.'

'Neem dit maar,' zei Larry. 'Ik heb genoeg aan mijn jasje.' Hij trok zijn T-shirt met de afbeelding van Tarzan en de leeuw over zijn hoofd en ritste zijn jack over zijn naakte bovenlichaam dicht.

Geronimo ging langzaam op de hengst af. Weer floot hij rustig en melodieus. Larry volgde hem met vaste schreden. Onbeweeglijk liet het dier hen dichterbij komen. Geronimo knielde en bekeek de wond. Hij goot wat water op het T-shirt en depte er de wond mee schoon. Het paard hinnikte dof en diep. Het klonk meer als zuchten. Voorzichtig en behendig maakte Geronimo de wond schoon van stof en verwijderde kleine kiezelsteentjes uit de huidplooien. Toen hij het blootgelegde bot raakte, kromp de hengst ineen.

'De wond ziet er niet goed uit,' mompelde Geronimo. 'Het moet gedesinfecteerd worden.'

'Karen heeft het EHBO-doosje,' zei Larry sip. Hij liet een vinger over de bezwete vacht van het paard glijden, voelde de bloedvaten kloppen en voelde hoe de dikke littekenkorst op het ooglid van de hengst onder de aanraking van zijn hand trilde. Het onbeschadigde oog, waarin nu een vreedzamere, zwakkere vonk mat opflikkerde, had de kleur van donkerbruine koffiebonen.

Plotseling sprong de hengst snel en snuivend ademhalend opzij. Zijn gespitste oren trilden en hij krabde met zijn hoeven op de grond.

Het lawaai van een motor verbrak de stilte. In een stofwolk verscheen de landrover boven op de heuvel. Hij reed recht op hen af.

Zondagmiddag

De hengst week terug. Er liep geel speeksel uit zijn mond. Hij draaide zich om en rende in galop over het pad naar beneden, de vlakte in. Het T-shirt vol bloed kleefde aan zijn wond. Geronimo pakte Larry's arm en trok hem mee. Ze renden omhoog naar de plek waar Larry Powder vastgelegd had. Te laat! Knarsend remmend versperde de landrover hen de weg. Met zijn cowboyhoed scheef op zijn kruin boog de oudste Jackson zich uit het raam en schreeuwde honend: 'Nou, nou. Kijk eens hier. Is dat niet de jonge Larry Coleman? Het komt me voor dat we elkaar al eens ontmoet hebben. Maar sinds wanneer is dat leuke blonde vriendinnetje van jou in een roodhuid omgetoverd?'

Schor, maar zonder angst antwoordde Larry: 'Zij wacht op ons bij haar oom, de grenswachter.'

Terry spuwde met een hoog boogje op de grond. 'Altijd dezelfde gladde praatjes, hè mannetje.' Hij zette de motor af. Opeens was het doodstil. Alleen het gesis van de oververhitte radiator was nog te horen. De deur van de auto ging open. Dane en Bob, de derde van het stel, tilden hun lange benen uit de auto. Bob was een lange, magere blonde man met waterige ogen en een scherp vooruitstekende adamsappel, gekleed in een nauwsluitende spijkerbroek en een gestreept jasje van kunstleer.

Nonchalant liep Dane met zijn geweer in zijn hand naar de jonge indiaan. 'Ooit graasde er een mooie kudde mustangs aan de voet van de Mesa Verde, een kudde die door jouw geschreeuw de benen nam. Weet je nog wat we toen tegen jou gezegd hebben?'

Geronimo zweeg. Toen klakte hij met zijn tong. 'Nou begrijp ik het. Jij,' zei hij op Larry wijzend, 'jouw vriendinnetje, deze smerige indiaan en die vierde op die motor van jullie, spelen onder één hoedje. En omdat Silver City een gehucht is waar iedereen iedereen kent, weten we in een mum van tijd van wie die motor is.'

Hij keek Larry gespeeld verwijtend aan. 'Maar jij hebt wel een bijzonder twijfelachtige vriendenkring, beste jongeheer Coleman. Als ik je vader was, zou ik je over mijn vaderlijke knie leggen en eens een flink pak rammel geven.' Hij greep Larry bij de kraag van zijn jack.

Rood van woede duwde Larry hem weg. 'Handjes thuis.' De mannen schaterden van het lachen.

'Laat ze toch met rust, Dane,' zei Bob. 'Die jonge uitgave van mijnheer de burgemeester is een gevoelig persoontje. Hij weet het niet te waarderen als een van ons hem vriendschappelijk met de hand beroerd. Hij gaat liever om met zwartjes en roodhuiden.'

Het portier van de auto klapte dicht. Ook Terry, die de tijd had genomen om een sigaret op te steken, was uitgestapt. Hij slenterde naar het groepje ruziemakers en bleef voor Geronimo staan. Snauwend zei hij: 'We hadden je bevolen om je niet meer te laten zien. Nu alweer vergeten?'

'Het is verboden om in het reservaat op mustangs te jagen,' antwoordde Geronimo met fonkelende ogen.

'Altijd hetzelfde oude liedje,' reageerde Terry abnormaal zachtjes. 'De mustangs zijn van de Kiowa's, nietwaar? Heel Texas is van de indianen. En de Verenigde Staten van Alaska tot Californië, waarom dat ook niet?'

'Waarom dat ook niet?' antwoordde Geronimo ijskoud. 'Inderdaad, van ons. Wij indianen zijn de echte Amerikanen.'

Larry voelde zich wee worden en zijn benen werden zo slap als elastiek. Wanhopig zocht hij naar iets waardoor Geronimo zijn mond zou houden.

Honend grijnzend kauwde Terry op zijn peuk. 'Zo,' zei hij, 'dus jullie zijn de echte Amerikanen. Oké. Dat geeft jullie natuurlijk het recht om te verhinderen dat wij een paar eerlijke dollars kunnen verdienen. En om een van onze banden lek te prikken.'

'Dat heb ik gedaan,' riep Larry heldhaftig in de hoop zijn vriend nog meer ellende te besparen.

'Wat? Ook nog een jonge crimineel,' spotte Terry. 'We wisten al dat de jonge Coleman zich graag omringt met opzichtige clowns,' ging Terry verder. Hij stak zijn arm door het geopende autoraampje, pakte Geronimo's poncho en slingerde hem in het gezicht van de jonge indiaan. 'Jullie hebben ons lang genoeg voor de gek gehouden.'

Hij pakte Geronimo bij zijn kraag en gaf hem zo'n harde oorvijg dat deze bijna omtuimelde. Onwillekeurig schoot Geronimo's vuist uit. Terry hapte naar lucht. Zijn sigaret viel in het stof. Hij drukte zijn hand tegen zijn neus. Bloeddruppels sijpelden tussen zijn vingers door. Bliksemsnel hief Dane zijn geweerkolf, maar Geronimo was sneller. Hij had het wapen vast voordat het hem trof en drukte het met al zijn kracht opzij.

Even heerste er een onoverzichtelijke chaos, waar Larry's schrille stem bovenuit klonk. Hij schreeuwde dat hij alles tegen zijn vader zou zeggen en dat de Jacksons allemaal in de gevangenis zouden belanden.

Met zijn bebloede neus verkocht Terry Geronimo een schop, waardoor de jonge roodhuid tegen een rotsblok knalde. Dane zwaaide met zijn geweer. De kolf trof Geronimo tegen zijn slaap. Hij struikelde en viel voorover in het zand.

'Smeerlappen,' schreeuwde Larry buiten zichzelf.

Langzaam kwam Geronimo weer bij bewustzijn. Zijn geheugen werkte nog niet goed en hij had er geen idee van waar hij was. Versuft probeerde hij op te staan. Zijn nagels groeven zich in het zand. Hij voelde zich zwak, misselijk bijna, maar merkte wel dat de grond trilde onder de hoeven van een galopperend paard. Een woedend, schril gehinnik sneed door de lucht. Geronimo opende zijn ogen. Het landschap tolde. De hemel zweefde beneden, de bergen stonden op hun kop. In een roodachtig waas zag hij de anderen in verschillende richtingen uiteenstuiven. Ze werden opgejaagd door een razend, schuimbekkend monster en zochten bescherming achter auto en rotsblokken.

De eenogige hengst, dacht Geronimo verbijsterd. Ik word gek, dat kan toch niet waar zijn. Door het bloed dat in zijn ogen drupte, kon hij het niet goed zien. Hij tilde automatisch zijn hand op om het bloed weg te vegen.

Met geweldige sprongen draaide de hengst met ontblote tanden in een cirkel rond. Plotseling draaide hij naar de auto. Zijn hoeven knalden. Een geluid van versplinterend glas en de voorruit viel in duizend stukjes uiteen.

Geronimo knipperde versuft met zijn ogen. Hij voelde zich opeens misselijk en bleef liggen. Als in een droom zag hij de contouren van Dane voor zich die zijn geweer op de hengst richtte. Danes laarzen zetten zich vlak voor Geronimo's gezicht schrap in het zand, klaar om te schieten. Geronimo verzamelde zijn laatste krachten, greep kreunend de dichtstbijzijnde laars en rukte eraan. Dane verloor zijn evenwicht en struikelde. En opeens was die roodglimmende razende wervelstorm er. Een pijnkreet, een geweer viel in het zand – de hengst had Danes linkerhand met zijn tanden verbrijzeld.

Iemand schudde aan Geronimo's schouder en probeerde hem overeind te trekken. 'Kom, snel! Weg van hier!' schreeuwde Larry hees in zijn oor. Geronimo probeerde weg te kruipen. Larry trok hem overeind. Toen hij eindelijk wankelend als de slinger van een klok weer stond, zag hij Powders stijgbeugel voor zijn ogen bungelen. 'Opstijgen. In het zadel,' hijgde Larry.

'Rustig aan, rustig aan,' mompelde Geronimo. Zijn stem was nauwelijks een gefluister. Later kon hij met geen mogelijkheid meer bedenken hoe hij in het zadel was gekomen.

Larry ging achter hem zitten en pakte de teugel. Powder galoppeerde al over het pad naar beneden. Achter hen klonk het onmiskenbare geluid van paardenhoeven. Larry draaide zich om en kreunde geschrokken. Het was de eenogige hengst die achter hen aan rende. Zijn sprongkracht was zo geweldig dat Powder daarbij vergeleken in een slakkengangetje voortsjokte. Onmogelijk om aan het aanstormende dier te ontsnappen. Instinctief trok Larry zijn hoofd in. Plotseling voelde hij een wolk warme adem langs zich heen scheren. Verbluft zag Larry de hengst als een kanonskogel voorbijschieten. In al zijn verwardheid besefte hij wel dat de hengst hen niet achtervolgd had, maar er samen met hen vandoor ging. Onder zijn hoeven sprongen steentjes op. Zijn manen fladderden als een vaandel. Een knal weerklonk, toen volgde een schril gefluit, waarna de inslaande kogel stof deed opdwarrelen. De hengst maakte een bochtje en galoppeerde verder alsof hij zich louter uit de voeten maakte om van een horzel af te komen.

Ze hadden nu de gele vlakte, die bedekt was met een korstige zandlaag, bereikt. Aan de horizon glinsterde in het metalen zonlicht de snelweg van El Paso naar de grens.

De hengst leek te vliegen. Hij zweefde door de lucht en raakte de grond alleen even aan om zich voor een volgende sprong af te zetten. Powder galoppeerde erachteraan alsof hij dacht dat hij met een touw aan de hengst vastzat. Ondanks zijn verwonding was de hengst aanzienlijk sneller. De afstand tussen de twee paarden nam zienderogen toe.

'Geronimo!' riep Larry. 'Hé Geronimo, gaat het weer een beetje?'

'Een beetje,' kreunde de jonge indiaan. De buil op zijn voorhoofd was zo groot als een peer. Aan zijn slapen kleefde geronnen bloed. 'Waar... waar zijn de Jacksons?' vroeg hij stamelend.

Larry keek om en vloekte. Met horten en stoten reed de landrover over de onverharde weg achter hen aan. Larry zag de grond onder Powders hoeven wegglijden. Hij wist hoe bedrieglijk dit gevoel van snelheid was. In het dal zou het voertuig hen in een mum van tijd inhalen. Als ze nou maar op tijd bij de snelweg waren, dan konden ze de hulp inroepen van passerende auto's.

In de verre omtrek was geen spoor meer te bekennen van de kudde.

'De mustangs zijn in veiligheid,' zei Geronimo. 'Angela heeft ze over de grens gekregen.' Hij lachte. Het was een vreemd lachje, want hij kreunde tegelijkertijd van de pijn. 'Heb je geen zakdoek?'

Larry hield met zijn ene hand de teugel vast en zocht met de andere in zijn broekzak. Hij gaf de vieze zakdoek aan Geronimo die er zijn met bloed bevlekte gezicht mee schoonveegde. Larry keek nog eens over zijn schouder en riep verontrust: 'Ze komen dichterbij!'

'Nu zitten ze achter de hengst aan,' reageerde Geronimo. 'Niet achter ons.'

De hengst was echter zo snel als de wind. Zijn instinct dreef hem ertoe om de kudde in te halen die op zijn bescherming was aangewezen. De rest was onbelangrijk.

Voor zich zagen ze in de verte een zwart puntje. Geronimo zag het lang voordat het Larry opviel. Gespannen kneep hij zijn ogen samen. Door de trillende lucht vervaagde elke contour. Het kon een grote steen zijn, een eenzame ruiter, een vrachtwagen of...

'Daar is Angela,' gilde Geronimo, die zijn ogen niet vertrouwde.

Larry rekte zich uit. 'Waar?'

'Daar, daar recht voor ons. Ze komt hierheen. Is ze kierewiet geworden?'

'Ze komt ons helpen,' hijgde Larry. 'Mijn God. De Jacksons zullen haar in elkaar timmeren.'

Wat had het voor zin Powder aan te sporen? De vos

deed zijn uiterste best. Het schuim stond op zijn mond, zijn gehijg overstemde het klepperen van zijn hoeven. De enorme inspanning kon hem fataal worden – Geronimo kon het niet meer aanzien. Hij rukte de teugel uit Larry's handen en vertraagde langzaam. Powder hinnikte en liet zijn hoofd hangen. Zijn door en door bezwete lichaam trilde heftig.

'Hij kan niet meer,' mompelde Geronimo.

Ze stegen af, Geronimo maakte het bit los en nam het zadel af. Larry zuchtte berustend. Daar stonden ze dan, midden in de woestijn, met een uitgeput rijdier, terwijl de zilverachtige, eenogige hengst zonder een spoortje vermoeidheid speels in de verte verdween.

En daar kwam de motorfiets van de ene kant en de landrover van de andere. Opeens werd de situatie Larry te machtig en hij begon nerveus te giechelen.

De Yamaha kwam in een grote stofwolk aangereden. Angela moest de auto nu toch wel gezien hebben, maar ze remde niet. Aan de grond genageld en met open mond zagen Geronimo en Larry de motor met volle snelheid op de landrover afrijden alsof Angela de auto wilde rammen.

In de doodse stilte van de woestijn klonk een schot, gevolgd door gefluit en een explosie. Remmen gierden. De motor draaide op volle snelheid om zijn as, sloeg om en viel met een harde klap op de grond. De twee meisjes werden met een hoge boog uit het zadel geslingerd en rolden door het stof.

'Ze hebben op de motor geschoten!' schreeuwde Larry.

De landrover remde al. Terry Jackson boog zich uit het autoraampje. Zijn stem was boven het lawaai van de motor uit te horen. 'Dat zal jullie leren, vervloekt stelletje criminelen!' Hij draaide rond de omgevallen motor en ging er met grote snelheid vandoor.

Toen Geronimo en Larry buiten adem bij de plek van het ongeluk kwamen, krabbelde Karen al overeind. Versuft klopte ze het stof van haar kleren. Haar ellebogen en handen zaten vol bloedende schrammen en een vingernagel was half afgescheurd. Angela lag op haar buik, zuchtte en kwam moeizaam overeind. Larry hielp haar bij het afzetten van haar helm. Angela haalde zwaar adem. Ze had barstende koppijn en pijn in haar oren.

'Wat een schoften,' mompelde ze zachtjes. Ze ging onzeker staan. De wielen van de schuin op zijn kant liggende motor draaiden nog rond. Er druppelde olie uit de versnellingsbak die het zand zwart kleurde.

'Waarom... waarom ben je op de landrover afgereden?' vroeg Geronimo.

'We zagen de hengst galopperen,' legde Angela uit, 'en we wilden verhinderen dat hij ingehaald werd.'

Karen keek expres niet naar haar gescheurde nagel. Als ze ernaar keek, moest ze kokhalzen. Ze dwong zich om te blijven glimlachen. 'Gelukkig zijn we zonder incidenten bij de grenspost gekomen. Alleen de arroyo was lastig. De banden zakten weg in het drijfzand.'

Angela knikte. 'We moesten afstappen en de motor duwen.'

'Oom Phil wachtte ons op,' ging Karen verder. 'We konden de kudde zonder problemen over de grens drijven. Phil had de sheriff van San Pascual al op de hoogte gesteld. De Jacksons krijgen een jachtverbod in New Mexico en...' Ze stopte, keek ontsteld Geronimo aan en riep: 'In godsnaam. Heb je een trap van een paard gehad?'

'Nee, nee, geen hoefafdruk. Een geweerkolf,' antwoordde Geronimo grimmig. 'De Jacksons wilden me aftuigen. Maar gelukkig kwam de eenogige hengst tussenbeide.'

Karen en Angela keken elkaar veelzeggend aan. Zonnesteek en gek geworden? De uitleg van de twee jongens maakte het niet duidelijker. Ze waren hondsmoe en te opgewonden om zonder te haperen vlot te vertellen wat hen overkomen was.

'Jullie zijn er dus van overtuigd dat de hengst jullie te hulp is geschoten?' vroeg Karen ongelovig.

'Erewoord,' zei Geronimo. 'We hadden hem bevrijd en zijn wond verzorgd. Hij heeft ons zo zijn dankbaarheid getoond.'

Het kostte Angela moeite haar gezwollen lippen te bewegen. 'Als het ons lukt om hem gezond en wel over de grens te brengen, dan beloof ik dat ik nooit en te nimmer over de motor zal klagen.' Ze pakte de motor beet om hem omhoog te trekken. De drie anderen hielpen haar. Met vereende krachten lukte het om de Yamaha overeind te krijgen. Angela betastte de beschadigde band. De kogel had de rubber aan flarden gescheurd.

'Die band kunnen we weggooien. En moet je die spaken zien. Dat kost een week voordat het allemaal gerepareerd is. Wie gaat dat betalen?'

'We verhalen het op de Jacksons,' stelde Larry voor.

'Gewelddadige overval met letsel, poging tot moord, het niet verlenen van hulp aan mensen die in gevaar verkeren.'

'Hoezo "poging tot moord"?' vroeg Angela niet-begrijpend.

'Is schieten met een geweer op een motorfiets dan geen moordaanslag?' merkte Larry verontwaardigd op.

Angela schudde somber van nee. 'Laat maar zitten. Het is toch allemaal nutteloos.'

'Wat bedoel je nou weer met nutteloos?' vroeg Larry boos. 'Als ik alles aan mijn vader vertel, dan...'

'Hij zou er niets aan kunnen doen. De Jacksons zijn blank en in dit verdomde land vinden blanken altijd het recht aan hun zijde,' was Angela's verbitterde antwoord.

Larry opende zijn mond om iets te zeggen, maar hij kon geen woord uitbrengen. Hij keek Geronimo aan, alsof hij hem om hulp smeekte. De jonge indiaan kneep zijn ogen dicht en zei al even somber: 'Ze heeft gelijk.'

'Wind je niet zo op, Angela,' kwam Karen tussenbeide. 'Vanaf morgen gaan we kranten bezorgen. We sparen wat geld en...'

'Kranten bezorgen? Hoe dan? De motor is onbruikbaar.'

In de stilte die er opeens ontstond, hoorden ze het gieren van de wind en de gelijkmatige hoefslag van Powder, die sjokkend naar hen toe liep.

'Mmm...' begon Larry twijfelend. 'Jullie zouden mijn fiets kunnen lenen.'

Angela en Karen staarden hem stomverbaasd aan.

'Trek toch niet zo'n gezicht!' riep Larry kwaad. 'Ik weet ook wel dat het een ouwe en verroeste brik is. Maar als jullie er nou mee geholpen zijn...'

Er lichtte een vonkje in Angela's ogen. Ze keek Karen aan. Karen keek naar Geronimo, die met Larry's vieze zakdoek zijn gezicht bette. Opeens begonnen ze alle vier hard te lachen – builen en schrammen, midden in de woestijn, in de gloeiende hitte en ze lachten zich ziek.

'Larry,' schreeuwde Angela en boog dubbel van het lachen, 'dat is een goed idee. Een verrekte goed idee.'

'Ik... ik denk dat ik de truc door begin te krijgen,' proestte Larry. 'Van nu af ga ik ook chocola eten.'

Het lachen had ze opgelucht, maar nu begon het weer langzaam tot ze door te dringen hoe ellendig hun situatie was. Ze stonden nog steeds in de woestijn, met een motorfiets waar ze niks meer aan hadden en met een dood- en doodvermoeid paard.

Larry was de eerste die weer serieus werd. Hij likte met zijn tong over zijn lippen, die dik waren van het zand en het stof. 'Angela, hoe ver is het naar de grenspost?'

'Nog ongeveer twee mijl. Met de motor hadden we dat stuk in een kwartiertje gedaan. Maar lopend...'

Ze maakte haar zin expres niet af. Geronimo hield zijn hand boven zijn ogen en keek naar de lucht. Het blauw had plaatsgemaakt voor een eigenaardige, roodachtige nevel. Geen zuchtje wind. De gloeiende zon leek onbeweeglijk vast te staan en voor altijd boven de woestijn te blijven.

Geronimo greep meteen in: 'We moeten hier direct weg. Het weer slaat om. Hoeveel water hebben we nog?'

Zijn thermosfles was leeg. Hij had het laatste restje water gebruikt voor de verzorging van de beenwond van de eenogige hengst.

'Ik heb nog een beetje water,' zei Karen en haalde haar veldfles uit haar linnen zak.

'We kunnen beter eerst wat drinken, voordat we verdergaan,' zei Geronimo. Ze namen alle vier een slok. Het water smaakte onfris, warm en zanderig. Larry hielp Karen met het verbinden van haar vinger. Het bloed drong meteen door het gaasje heen en kleurde de hechtpleister rood. Karens gezicht vertrok en Larry keek haar bezorgd aan. 'Kind, alsjeblieft, niet flauwvallen.'

'Ik val helemaal niet flauw,' schreeuwde Karen kwaad terug. 'Ik voel me alleen wat slapjes in mijn buik.'

'Ik ook,' grijnsde Larry. 'Ik moet wat eten. Als ik me opwind, krijg ik altijd honger.'

'Allemaal de buikriem aanhalen,' riep Angela. 'We hebben geen eten meer.'

'Dat kan nog erg leuk worden,' zuchtte Larry.

Geronimo onderzocht de kapotte motor. 'Kunnen we de motorfiets niet beter hier laten?'

'Geen sprake van.' Angela was boos. 'Straks pikt iemand hem of sloopt er onderdelen van af.'

Karen sperde haar ogen open: 'Wil je die motor dan twee mijl duwen?'

'Heb jij een beter idee?' vroeg Angela beheerst. Ze pakte de Yamaha stevig beet en begon te duwen. Geronimo nam Powder bij de teugel en bedrukt zwijgend zetten de vier zich in beweging. Powder volgde stapvoets. Zijn bezwete flanken schokten onder het lopen. Zijn neusgaten trilden door zijn gehijg. Ook het paard had erge dorst, maar ze moesten het laatste beetje water voor zichzelf bewaren.

Angela liep langzaam met krachtige passen en duwde zwetend haar motor door het zand. De anderen hielpen haar om beurten met duwen. De hitte was onverdraaglijk. Boven de nevel was hoog aan de hemel de zon te zien. Het zonlicht had een eigenaardige koperkleur.

Larry strompelde met stijve knieën door het zand. Zijn bril was bedekt met een vies mengsel van speeksel, stof en zweet. Hij probeerde het af te vegen, maar het felle licht bleef zich weerkaatsen in het laagje vet op de glazen. Toen hij zijn bril afzette, zag hij helemaal niks meer en sjokte als een blinde muis verder door het zand.

Karens schoenzolen waren bijna doorgesleten. Het zand brandde onder haar voeten. Ze had het gevoel dat ze over gloeiende as liep. Af en toe keek ze even naar de in bloed gedrenkte pleister om haar vinger en wendde meteen haar blik weer af.

Na een tijdje bleef Angela staan om uit te blazen. Het zweet liep in straaltjes over haar gezicht. Met samengeknepen ogen keek ze naar de trillende en wazige horizon.

'Verdorie, laat dat ding toch hier,' zuchtte Karen. 'Het lukt je toch niet.'

Angela schudde met een verbeten uitdrukking haar hoofd en wreef met haar pijnlijke handpalmen over haar doorweekte T-shirt.

'Wat is daarachter?' vroeg Larry. Hij wees knipperend met zijn ogen op een spoor dat in oostelijke richting liep.

'Daar is de landrover van de Jacksons heengereden,' zei Geronimo opgelucht. 'Die hebben de kortste weg genomen. Nu hoeven we alleen nog maar hun spoor te volgen.'

Angela duwde tegen de motor en liep door. Het viel Karen op dat Geronimo regelmatig zijn gezicht een stukje draaide en aandachtig de warme lucht opzoog.

'Wat is er?' vroeg ze.

'Er komt onweer aan,' antwoordde Geronimo verontrust.

Hij kende als geen ander de nukken en kuren van de woestijn, die altijd meedogenloos en hard alle wezens van vlees en bloed overvielen op het moment dat ze hun laatste krachten uit hun lijf voelden wegvloeien. Ondanks de hitte voelde Geronimo koude rillingen over zijn rug lopen. Hij drukte zijn hand tegen zijn voorhoofd en probeerde met één blik de kleuren van het licht te doorgronden. Als hij de arroyo maar zag. Dan was het ergste achter de rug. De tijd verstreek. Plotseling weerklonk in de verte een dof, diep gerommel. Geronimo voelde zijn hart bonzen.

'Snel!' hijgde hij. 'We moeten door de arroyo voordat het begint te regenen. Anders loopt de bedding vol water en is onze weg afgesneden.' Hij gooide de teugel van Powder naar Karen en duwde met al zijn kracht tegen de motor. Aan de horizon dreef een uitdijend wolkenfront in hun richting. Het wolkenpak groeide in de hoogte. Al snel verdween de koperen zonneschijf achter een donkere wolkenmassa. Opeens koelde het af. Powder sperde zijn neusgaten open. Zijn flanken trilden even; hij hinnikte zacht en hees.

'Hij voelt de regen,' verklaarde Geronimo.

In de verte rommelde de donder als gedempt kanongebulder. Er stak een windje op. De wind blies in hun gezicht en woelde door de manen van het paard.

De lucht begon te knetteren en te trillen. Zand warrelde op, in golven, in slierten. Ze voelden het zand in ogen en neus. Tussen hun tanden knarsten zandkorrels; in de huidplooien van hun vingerkootjes staken ze als duizend spelden. Ze konden de zware motor nauwelijks nog tegen de wind in duwen. De wind geselde de vier vrienden.

De zon was nu volledig verdwenen. Het daglicht maakte plaats voor een messingkleurige glans. Ze wankelden onder de windstoten. Een felle bliksemschicht sneed door het zwart. Een donderslag weerklonk. Er viel een druppeltje op Karens wang. En nog eentje. Steeds sneller en dichter kletterde de regen op het zand. Uit de bodem steeg een kruidachtige, warme geur op.

'Daar is de arroyo!' schreeuwde Geronimo. 'Nog even en we hebben het gehaald.' Weer schoot een bliksemstraal als een blauwwitte nerf door de lucht. De donderslag daarna leek de hele wereld in stukken te rijten. Ze hadden het gevoel dat hun trommelvliezen scheurden. Powder hinnikte van schrik en rukte aan de teugel. Karen kon de doodsbange viervoeter nauwelijks nog in bedwang houden. Geronimo liet de motor los om haar te helpen bij het kalmeren van het trillende paard. Er viel een ondoordringbaar watergordijn uit de hemel. Het was alsof plotseling de hele wolkenmassa op aarde viel.

De grond werd hobbeliger en veranderde in ontelbare stroompjes die tussen keien en steentjes hun weg zochten. Het zand was al een modderige brij toen ze bij de rivierbedding kwamen. In enkele minuten vormden zich bruinkleurige stortbeken die zich steeds breder en dieper een weg baanden door het zand.

'Snel!' gilde Geronimo. 'Karen, neem het paard.'

Ze pakte Powders teugel, terwijl de drie anderen met vereende krachten de motor voortduwden. De wind gierde over de vlakte. Ze waren door en door nat. Kreunend en steunend strompelden ze voort. De banden bleven in de modder steken, botsten tegen stenen en rotsblokken. Het was ijskoud. De temperatuur moest tot nul gezakt zijn.

Ze waren de helft van de arroyo overgestoken toen ze door het kletteren van de regen heen een eigenaardig geruis hoorden. Het was een gorgelend geruis dat van alle kanten tegelijk leek te komen.

'Het water!' schreeuwde Larry geschrokken. Vertwijfeld duwde hij tegen het stuur. Zijn voeten glibberden weg in het zand. Hij verloor het evenwicht en viel languit op de grond. Jammerend krabbelde hij overeind, klampte zich vast aan de motor en duwde zo hard hij kon. Powder draaide geschrokken met zijn ogen. Hij steigerde en rukte zich los. Karen slaakte een kreet van pijn toen de natte teugel haar handpalm schaafde. Met enkele krachtige sprongen was Powder aan de andere kant van de bedding. Karen liep wankelend door het water en hielp mee om de motorfiets vooruit te duwen. Ze klappertandde. Drijfnatte haren hingen in haar ogen. Op het moment dat ze de tegenoverliggende oever bereikten, zagen ze de aanrollende watermuur die van oever tot oever reikte en stenen en struikgewas meevoerde. Met een laatste krachtsinspanning sjorden ze de Yamaha op de modderige oever, terwijl het water al schuimend en bruisend rond hun enkels spoelde.

Uitgeput en versuft stonden ze op de oever. Waar een

seconde eerder een drooggevallen rivierbedding had gelegen, ruiste en golfde nu een onstuimige, modderige watermassa. Bliksemstralen schoten langs de hemel, de wind huilde en het donderde aan een stuk door. Angela was volkomen kapot en ging in de modder zitten. Ze liet haar hoofd op haar knieën zakken en sloot haar ogen. Ze merkte de regen niet eens die haar doorweekte. Karen bibberde van de kou. Larry was van top tot teen met modder bedekt. De regendruppels tikten kletterend tegen de glazen van zijn bril.

Geronimo leunde hijgend tegen de flank van zijn paard, dat met zijn hoofd naar beneden onbeweeglijk bleef staan. 'Grote Manitou,' mompelde hij, toen hij weer rustig adem kon halen. 'Dat is nog maar net goed gegaan.'

Ze waren uitgeput en hadden geen idee meer van de tijd. Langzaam drong het tot ze door dat de donder in de verte verdween. De regen nam af en hield uiteindelijk op. Losse wolken dreven hoog boven hen. De lucht vulde zich met een almaar groter en feller wordende glans; en met één klap brak het heldere, sterke zonlicht door de nevelsluier. Het water en de woestijn kregen een gouden kleur. Alles om hen heen glansde, fonkelde, straalde. Geronimo veegde de natte haren uit zijn gezicht. Hij kneep zijn ogen bijna dicht en observeerde de vlakte.

Hij gaf een schreeuw, die de andere drie uit hun vertwijfeling losrukte. Duizelig en verblind keken ze in de richting van Geronimo's blik. Onder de wegdrijvende wolkenflarden zagen ze aan de horizon een roodachtig grijs lint: de snelweg van El Paso naar San Pascual. In de schoon gewassen lucht waren de telefoonpalen en de witgekalkte huizen van het grensgehuchtje duidelijk te zien.

Er gleed een glimlach over Angela's gezicht. Karen herkende de overwinningsblik in haar ogen en zag haar witte tanden heel even achter haar lippen blinken. Larry brulde de vreugdekreet van de cowboy en Geronimo schreeuwde: 'Gehaald!'

Karens hart bonsde van blijdschap. Haar vermoeidheid was plotseling verdwenen. Ze voelde haar pijnlijke ledematen bijna niet meer. Ik moet zo snel mogelijk oma bellen, schoot er door haar hoofd. Ze zal ongerust zijn.

Zondagavond

Angela, Geronimo en Larry zaten op de bank in de huiskamer van oom Phil. Angela had een witte badjas omgeslagen, die grappig fel afstak tegen haar zwarte huid. Geronimo en Larry verzopen in oom Phils hemden. Zijn broeken, die voor hen vele maten te groot waren, gleden de hele tijd af tot op hun knieën. Hun natte kleren hingen in de tuin aan de waslijn te drogen. Karen had een blauwwit gestreepte herenpyjama aan. Ze was bezig met het bereiden van de salade, terwijl oom Phil het beslag voor de reuze-omelet klopte. Hij had een plastic schort achter zijn broekband gepropt. Oom Phil kookte graag en goed. Hij leek sterk op oma, dezelfde blauwe ogen, dezelfde bruine, regelmatige gelaatstrekken, alleen jonger natuurlijk. Zijn zwarte haar was langer dan volgens de voorschriften toegestaan was. Hij was echter niet van plan om tot aan zijn dood grenswacht in San Pascual te blijven en volgde een schriftelijke cursus technisch tekenen.

'In principe heeft Angela de kwestie goed ingeschat,'

zei oom Phil terwijl hij zorgvuldig zout, peper en een beetje suiker bij het omeletdeeg deed. 'Jullie konden niet veel doen tegen die criminelen. Zeker, jullie hebben Larry als getuige en kunnen rekenen op de steun van zijn vader, maar de Jacksons zullen zich op de wet beroepen. In de staat Texas is het jagen op wilde paarden geen overtreding of misdaad. En jij,' zei hij terwijl hij Geronimo aankeek, 'zou gestraft kunnen worden voor het lek prikken van een autoband.'

Geronimo haalde zijn schouders op. Hij had zich geen enkele illusie gemaakt. Dat lag niet in zijn aard. De linkerkant van zijn gezicht was sterk opgezwollen en ging schuil onder een dikke laag verband. 'Nou en. De hoofdzaak is dat we de mustangs in veiligheid gebracht hebben.'

'Het had niet veel gescheeld of de hengst was ingehaald,' ging oom Phil verder. 'Op het laatste moment kon ik de landrover nog tot stoppen dwingen. Jullie hadden het getier en gevloek moeten horen. Eén van die kerels had een flinke verwonding aan zijn hand. Dat zag er behoorlijk beroerd uit. Hij zocht een arts. Ik moest hem helaas meedelen dat dokter Lopez, onze lokale Mexicaanse arts, in het weekeinde altijd in El Paso is en dat men dan is aangewezen op de plaatselijke apotheek. Ik moest ze ook meedelen dat de automonteur op zondag niet werkte. De Mexicanen hebben een hekel aan te hard werken. En bovendien hebben ze het niet zo op die yankees.'

‘Heerlijk idee om zonder voorruit naar Silver City terug te moeten rijden,’ grijnsde Karen.

‘Vooral na een onweer,’ voegde Geronimo eraan toe. ‘De temperatuur daalt vannacht tot het vriespunt.’

‘We moeten verhinderen dat de mustangs teruggaan naar Texas,’ ging oom Phil verder. ‘In de woestijn zijn de grenzen moeilijk te controleren. Ik heb het er met de sheriff over gehad. Hij zal ervoor zorgen dat de kudde naar een gebied gedreven wordt, waar voldoende water en voedsel is. Natuurlijk zal die hengst het ons nog wel een beetje lastig maken.’

‘Je moet weten hoe je met hem moet omgaan,’ was Geronimo van mening. ‘Eigenlijk is hij erg meegaand.’

Oom Phil lachte. ‘Ja, zo mak als een lammetje. Dat kan ik me goed voorstellen. Toch lijkt het me verstandiger om niet te dicht bij hem te komen.’ Hij goot het deeg in de pan, pakte een tafellaken en gekleurde papieren servetjes uit de keukenkast en gaf die aan Larry. ‘Zo, jij kan mooi de tafel dekken. Als jullie gegeten hebben, breng ik jullie met het bestelbusje terug naar Silver City. In het busje is ook plaats voor Powder.’

‘En mijn motor?’ vroeg Angela.

‘Die blijft hier. De monteur zal ernaar kijken. Hij is een goede vriend van mij. Maak je dus niet druk over de rekening. Zodra de motor gemaakt is, kom ik hem met het busje brengen.’

‘Dank u, mijnheer,’ zei Angela dankbaar.

‘Ik ben geen meneer. Ik heet Phil.’

Geronimo stond op en pakte de gitaar van de muur. 'Speel jij gitaar, Phil?'

'Een beetje.'

Geronimo liet het instrument op zijn knie rusten, stemde met overgave de snaren, begon te tokkelen en neuriede 'Scarborough Fair' in de versie van Simon and Garfunkel. De gevoelige melodie stond in schril contrast met het weekeind dat ze achter de rug hadden, maar gaf goed hun gemoedsstemming weer. Angela zat in kleermakerszit op de bank en knipte met haar vingers het ritme van de muziek mee. Larry zette borden en glazen op tafel, legde er messen en vorken bij en vouwde zorgvuldig de papieren servetjes. Karen kwam met de saladeschotel binnen – oom Phil had haar gescheurde nagel behandeld en verbonden. Het brandde nog een beetje, maar het zou vast beter gaan als ze wat gegeten had.

De reuze-omelet geurde heerlijk. Oom Phil liet hem op een grote schaal glijden en knipperde vrolijk met zijn ogen. Karen glimlachte terug. Ze voelde zich prima.